LA VIE LENTE

ABDELLAH TAÏA

LA VIE LENTE

roman

ÉDITIONS DU SEUIL
57, rue Gaston-Tessier, Paris XIXe

ISBN 978-2-02-142183-5

www.seuil.com

Pour Fadwa Islah

Mon esprit a connu la liberté de la solitude et
l'isolement de la pensée pendant trop longtemps.
Il sait déjà ce qu'il faut détruire. Et à tout prix.

Agustín Gómez-Arcos, *L'Agneau carnivore*

1

Antoine

Les cimetières ce n'est pas ce qui manque à Paris, madame Marty.

Je lui ai crié dessus cette phrase trois fois. Non. Je l'ai vomie. Hors de moi. Il fallait que je gagne. Je ne pensais qu'à cela. Ne pas la laisser me manipuler encore une fois, me traiter comme son fils. Je ne suis pas son fils, vous comprenez, monsieur. Je ne suis rien pour elle. Rien. Je m'appelle Mounir, pas Julien. Et je n'habite rue de Turenne que depuis trois ans.

Madame Marty, je la connais et je ne la connais pas vraiment.

J'ai ouvert la porte de mon appartement au 4e étage et je me suis mis à l'attendre. J'arrive, je descends, on a réglé cette affaire une fois pour toutes, elle a dit.

J'ai essayé de respirer calmement. Fermer les yeux. Revenir à moi-même. Je n'y suis pas arrivé. C'était trop tard de toute façon. Il fallait aller jusqu'au bout. Je cherchais la bagarre moi aussi ce jour-là, je l'avoue. Augmenter l'intensité. Plus de feu. Plus de cris. Plus de venin. Plus de mots meurtriers. J'ai attendu sur le palier. Je l'entendais qui marchait dans son minuscule studio comme un vieux lion dans sa cage au zoo. Je savais ce qui allait se passer.

J'ai attendu.

Mon cœur voulait lui accorder une petite chance. Qu'elle reste chez elle. Qu'elle ne sorte pas sur le palier. Qu'elle redevienne une mère aimante, une femme qui donne de l'amour en cuisinant pour les autres presque gratuitement, une vieille Française qui suscite la pitié. Ma peau voulait l'inverse. Aller à la confrontation. Que je dise enfin toute ma vérité sur la situation pourrissant entre nous deux depuis plusieurs mois. Que les mots durs sortent de moi et blessent. Blesser sans regret. Il me fallait me venger.

Je sais, monsieur, que c'est idiot de réagir comme ça. Elle a plus de 80 ans et je n'en ai que 40. Je savais que je devais prendre sur moi encore une fois. La laisser exploser jusqu'à ce qu'elle se calme d'elle-même. Mais pas ce jour-là. Pas après ce qu'elle m'avait fait trois jours durant. Non. Je m'en foutais qu'elle soit vieille. Je ne pensais qu'à moi. Sauver ma peau. Sauver ma race si je peux dire. Et rien n'aurait pu me ramener à la raison. Je ne dormais plus. Vous comprenez, monsieur l'inspecteur. Je ne dormais plus. À cause d'elle. À cause de son bruit.

Trois nuits sans sommeil avaient fait de moi un fou, un enragé, un révolté possédé, comme cet homme arabe prisonnier à Guantánamo que j'avais vu une fois à la télévision. Il était noir de colère, noir d'amertume et de désarroi. Suicidaire. Devant lui il y avait trois militaires américains au visage cagoulé. Ils étaient froids, très froids. Et lui, les yeux rouges, il vociférait des mots sales en arabe qu'ils ne comprenaient pas. Des insultes. Des malédictions. Des menaces. Il était extrêmement agité. Il allait et venait tout en continuant de crier. Il a fini par se calmer de lui-même. Une seconde. Deux secondes. Trois secondes. Et il s'est évanoui.

J'étais sur le même fil que lui. Plus rien n'avait d'importance. Ni l'avenir en France. Ni l'avenir au Maroc. Et encore moins l'avenir de l'adulte désarmé, domestiqué, que j'étais devenu depuis que j'avais choisi l'émigration.

Un rien et je bascule. Un rien et je saute. Un rien et j'explose.

Je ne supportais plus cette nouvelle voix dans ma tête. Elle était là tout le temps et elle me disait que j'étais nul, que la France, à vouloir me cultiver, me civiliser, m'avait castré. Mais est-ce que tu te vois un peu, pauvre chose, pauvre et imbécile Mounir ? Regarde. Regarde bien dans le miroir. C'est qui ? Toi ? Non. Non, ce n'est plus toi. Tu n'es plus digne de ce très beau prénom. Mounir. Tu devrais t'appeler Philippe ou Baptiste. Ou alors, tiens, pourquoi pas, Fabien. Cela t'irait mieux. Ce n'est pas possible. Ce n'est pas possible. Tu n'es plus un Arabe, on dirait. Regarde-toi, c'est bien, regarde profond. Qu'est-ce que tu vois ? Tu sais que j'ai raison. Tu as peur d'eux maintenant. Tu leur es soumis et tu te soucies trop de ce qu'ils pensent de toi. Bien élevé. Bien éduqué. Docile, quoi. Fade. Mou. Ennuyeux. Pas de couilles. Plus de fierté arabe en toi. Tu es sans espoir. Tu ferais mieux de te jeter par la fenêtre puisque, depuis trois ans, tu as renoncé à cette flamme en toi, ce petit côté sauvage qui faisait que tu leur résistais un peu quand même. La flamme en toi, c'est parti. Le feu en toi, c'est fini. Il n'y a plus rien. Il y a juste ce Mounir que tu es à présent, un Mounir indigne de l'autre Mounir. Tu entends ce que je dis ? Tu vas faire quelque chose pour changer, redevenir ce que tu as été ? Ou bien tu vas nous faire encore le déprimé qui n'en peut plus du gris de Paris, de la solitude de Paris, et de tous ces Parisiens qui, année après année, tirent une gueule pas possible ?... Quoi ? Tu dis quelque chose ?... Ah... bon... je croyais... je croyais... C'est cela. Dors. Avale un anxiolytique et continue de dormir. Dormir. Dormir.

Pardon, monsieur l'inspecteur, pardon. Je l'entends encore, la voix. Elle prend encore le contrôle et me fait dire des choses terribles qui n'arrangent jamais rien dans ma vie. Pardon.

Je reprends l'histoire dans l'ordre ? Oui ?

Alors, je reprends.

Sur le palier je me suis mis à compter les secondes. L'espoir était de nouveau là : madame Marty a peut-être renoncé. Je devrais faire comme elle : rentrer chez moi, me cacher entre les murs de ce deux-pièces maudit, ou bien sortir, oui sortir, m'évader un petit moment, marcher, marcher jusque là-haut, Belleville, jusqu'aux Buttes-Chaumont, jusqu'au Temple de l'Amour, être au-dessus de ce monde soudain si étroit, respirer, fermer les yeux, un autre air, voyager je ne sais où, et puis, vaincu, las, résigné, redescendre. Revenir au territoire chic et froid de la rue de Turenne.

Madame Marty voulait de l'action. Le sang en elle n'avait pas refroidi. La vie trop calme dans cet immeuble, où les habitants jouaient sans jamais se fatiguer aux gens civilisés, ne lui convenait plus. L'hystérie entre elle et moi avait encore besoin d'un final digne de ce nom. Quelque chose d'absolument atroce, de définitif, devait être dit pour qu'enfin nous soyons satisfaits. Ce n'était plus une dispute mais un combat.

Qui va gagner ? Qui va mater l'autre ?

Du palier de son 5e étage, elle a crié : J'en ai marre, j'en ai marre ! Depuis que tu es arrivé je vis dans la terreur. La terreur de te déranger, de t'empêcher de dormir, de t'empêcher de travailler, de t'empêcher de faire la sieste… Eh bien, c'est fini, tout ça, tu m'as fait suffisamment peur comme ça. J'en ai marre.

Elle savait parfaitement que c'était faux. Je ne l'ai jamais menacée, je ne l'ai jamais torturée. Mais c'est vrai, c'est plus que vrai, elle m'empêchait de dormir. Et on ne peut pas vivre sans dormir.

J'ai l'impression que depuis trois ans je n'ai pas dormi. Fermé les yeux, oui. Un sommeil léger, oui. Mais jamais profond. Jamais une nuit complète à satiété. Jamais, jamais. À force de ne pas dormir, vous comprenez, j'ai perdu le contrôle. Je suis devenu fou. Je sais que c'est peut-être exagéré de parler comme ça mais, je vous le jure, je n'étais plus moi-même. La voix dans ma tête me disait de faire des choses terribles. Encore plus terribles. Déjà, je passais mes journées à les maudire, elle et l'autre, l'Autrichienne blonde. Sandra. À elle, je ne pouvais rien dire, elle m'impressionnait trop. Je suis sûr qu'appeler la police pour m'embarquer, c'était son idée.

Je la hais, cette Sandra, je la hais. Je me suis vengé d'elle à ma manière. Je l'avoue. Rien de grave. Rien de sérieux.

Madame Marty, non. Je ne la hais pas. Je ne l'ai jamais haïe. Et on n'a pas été toujours en conflit.

Je vais appeler la police, elle a dit.

La police ? ! Mais qu'est-ce que j'ai fait ? C'est toi qui me tortures depuis…

J'ai peur de toi… maintenant… Tu es arabe, j'ai peur de toi…

Je savais parfaitement que madame Marty n'était pas raciste. Pas elle. Mais voilà, on était en 2017. Deux ans après l'attentat à *Charlie Hebdo*. Tout était devenu possible. Les gens en France n'étaient plus les mêmes.

Qu'est-ce que tu veux que je fasse ? Que j'arrête de vivre pour que tu puisses dormir tranquille ?

Oui, c'est ce que je veux.

Je m'en fous, Mounir. J'en ai marre. Maaarrreeeee !

Elle voulait m'impressionner par ce cri. Cela n'a pas marché. Je n'ai rien dit. Mon silence l'a désarçonnée. Que va-t-elle faire à présent ? Qu'est-ce qu'elle va inventer ?

Elle a commencé à descendre l'escalier. Puis elle s'est arrêtée. Elle me regardait. Je la regardais. J'ai eu pitié d'elle, c'est vrai. Tout cela était ridicule. Mais c'était trop tard pour revenir en arrière.

Madame Marty avait l'air défaite. Elle transpirait. Elle était comme l'actrice américaine Bette Davis à la fin du film « Qu'est-il arrivé à Baby Jane ? ». L'ombre d'elle-même. Folle. Au bout de la vie. La mort qui lui tend la main.

Je renonce. Je rentre chez moi. Elle a l'âge de ma mère. Je renonce.

C'est à ce moment-là qu'elle m'a menacé de nouveau.

Je vais appeler la police.

Je n'ai pas peur de la police, madame Marty.

Ah bon… Ici on est France, ici… Ici pas le Maroc, ici.

Elle me parlait comme on parlait aux indigènes. En mauvais français. Sans le vouloir peut-être, elle avait retrouvé les réflexes pour diminuer l'autre, l'étranger, le colonisé, l'immigré, le ramener à sa vraie place : en situation d'infériorité éternelle par rapport aux autres, tous les autres. Même madame Marty, pauvre Française qui survit depuis les années 1970 dans un studio de 14 mètres carrés, pouvait et savait utiliser parfois le langage des maîtres pour se défendre. Quelque chose enfoui profondément est remonté. Hé, toi, Mounir, tu as beau avoir obtenu un doctorat en littérature française du XVIIIe siècle à la Sorbonne, tu es inférieur à moi. Tu restes un Marocain, quoi qu'il arrive, ne l'oublie pas. Ne l'oublie jamais.

Ici France. Ici pas Maroc.

Je n'ai peur de rien, moi, madame Marty. Mes papiers sont en règle.

C'est ce qu'on va voir.

Appelle la police si tu veux. Allez. Vas-y. Je reste ici sur le palier. Vas-y. Qu'est-ce que tu attends ?

Elle s'est tue pendant cinq secondes, le temps j'imagine de trouver une nouvelle stratégie, et elle a crié.

Tu vas me tuer ! J'ai de l'hypertension, tu le sais très bien. Je prends des médicaments, beaucoup de médicaments. Tu comprends ? Tu entends ? Tu vas me tuer... Je vais mourir à cause de toi et de tes névroses. Je vais mourir. C'est ça que tu veux ?

Ce à quoi j'ai répondu, ravi et inconscient à la fois : Mais vas-y, meurs. Meurs. Les cimetières ce n'est pas ce qui manque à Paris, madame Marty. Tu veux que j'en choisisse un pour toi ?

Ç'a été comme si je lui avais planté un couteau dans le cœur. Elle s'est calmée d'un coup. Son visage était devenu livide. Blanc blanc. Le sang ne remontait plus jusqu'à sa tête. Elle va faire une syncope. Elle va faire une syncope. Elle a commencé à perdre l'équilibre. Elle va se casser la hanche, c'est foutu. Mais elle a réussi à ne pas tomber complètement. Elle a attrapé la rambarde de l'escalier d'une main et l'autre elle l'a posée sur sa tête comme pour calmer la crise de vertige aiguë qui l'assaillait. Sans réfléchir, je me suis mis à monter l'escalier pour l'aider. Elle a enlevé sa main de sa tête et elle m'a signifié d'arrêter. Non. Non. Dans ses yeux, je voyais qu'elle avait réellement peur de moi. Il ne fallait pas que je me rapproche davantage d'elle.

La phrase « Les cimetières ce n'est pas ce qui manque à Paris » l'avait désorientée et achevée.

C'était trop. Trop de violence.

Au Maroc on avait l'habitude de se balancer ce genre de phrases. L'autre ne se laissait jamais faire et répondait avec la même violence. Pour me protéger, j'avais appris dès mon enfance à répondre aux horreurs que l'on me criait dessus par des horreurs encore plus insupportables. Et avec le temps, tout cela était devenu du jeu, du théâtre.

Les mots violents, à force d'être répétés, étaient vides. Ils ne signifiaient rien d'autre qu'un simple amusement, un simple ricanement.

Je comprenais parfaitement le système, le cercle noir dans lequel on était depuis trop longtemps enfermés. Au lieu de laisser le Pouvoir nous tuer, on le faisait nous-mêmes. On se déchirait à longueur de journée, à longueur d'année. On ne parlait pas. On aboyait. Et il n'y avait que cela qui était compris, respecté, voire admiré.

Petit adolescent gay efféminé et persécuté par des hommes hétérosexuels affamés de sexe, ce n'est que lorsque j'avais décidé d'être violent à mon tour, violent par les mots, qu'on avait changé d'attitude vis-à-vis de moi. Plus j'étais ordurier dans mon langage, plus on me foutait la paix. Plus je parlais comme les égouts, moins on me violait.

Bien plus tard, à la vingtaine, je me suis posé cette question : que me serait-il arrivé dans mon premier monde pauvre si je n'avais été qu'une petite chose fragile, coincée et timide ?

Le monde ne comprend que la violence, directe ou indirecte. Les gens jouissent quand ils ont l'occasion de montrer encore et encore leur supériorité, leur petit pouvoir, leur soi-disant hauteur, et au passage d'écraser l'autre, tous les autres. Sans pitié. Sans regret.

Tout cela, je me rappelle en avoir calmement discuté avec madame Marty. Elle était en tout point d'accord avec moi et c'est à ce moment-là qu'elle m'a raconté l'histoire de sa vie. Les sacrifices. Et à la fin : rien, pas de paradis. Juste un minuscule studio de 14 mètres carrés où elle attendait la mort qui ne voulait pas encore d'elle.

C'était l'hiver. L'après-midi. La discussion avait duré une heure. C'était au tout début de mon installation dans cet immeuble maudit. Je faisais encore des efforts, je jouais au gentil Arabe. Le Marocain au doctorat sur Fragonard et le roman libertin au XVIIIe siècle. Je soignais bien mon image. Je ne disais rien. J'avais encore l'espoir que la situation allait changer. Allez, allez, Mounir… Tu finiras par t'habituer au bruit des deux voisines du dessus. On s'habitue à tout. Mais oui. Ne donne pas une trop mauvaise image des Arabes. Allez. Sois cool. Tu devrais t'estimer heureux, chanceux, de vivre rue de Turenne. Tu viens quand même des faubourgs de Rabat, la ville de Salé et sa mauvaise réputation. Tu as grandi à côté de la prison la plus fameuse de ton pays. Le mythique centre pénitencier Zaki. Allez. Allez… Reviens sur terre. Tu as du courage, on veut bien le reconnaître. Tu as des qualités humaines, c'est indéniable. Tu es malin, même très malin, et on va fermer les yeux sur certains de tes petits crimes. Ce n'est pas grave. Mais n'exagère pas, Mounir. Regarde où tu vis à présent. Dans un deux-pièces, avec une magnifique cuisine et une salle de bains qui rendraient folles de jalousie tes sœurs prisonnières au Maroc. Le tout fait 45 mètres carrés. Madame Marty, la Française, survit, elle, dans un minuscule studio depuis les années 1970. Ton salon à toi, avec son incroyable bibliothèque, correspond à la surface de tout l'appartement de l'Autrichienne Sandra. Tu vois ? Tu vois où je veux en venir ? C'est toi le gagnant. Alors, arrête de nous casser les oreilles avec tes angoisses, tes phobies et tes crises de panique. Que veux-tu qu'elles fassent ? Qu'elles cessent de vivre ? Qu'elles ne bougent pas ? Plus ? Qu'elles ne fassent aucun bruit pour que Monsieur le Marocain puisse régner en mâle dominant ? C'est cela ? Arrête ton cirque. Et puis, dois-je te rappeler que tu ne paies que 500 euros par mois pour jouir de tout cet espace ? Et tant que j'y suis, dois-je aussi revenir sur les tactiques plus que douteuses que tu n'as pas hésité une seule seconde à utiliser pour obtenir cet appartement ? Je sais ce que tu dis à tes amis. C'est grâce au papa d'un bon ami à moi. J'ai réussi à le convaincre de me louer pas cher cet appartement qu'il gardait vide et dont il ne savait quoi faire. Convaincre, tu dis ? Je suis toi, moi, ne l'oublie pas. Tu peux mentir aux autres, faire ton intéressant devant les autres, mais avec moi, ta comédie ne marche pas. Allez. Calme-toi. Aie pitié de cette pauvre madame Marty qui est en train de perdre l'équilibre et qui va peut-être mourir à cause de toi. Regarde-la. Regarde-la bien. Elle a vraiment peur de toi. Fais quelque chose. Tu es en France. Tu as sauvé ta peau. Ça y est. Arrête de jouer les chochottes bourgeoises de Rabat qui t'horripilaient tellement quand tu vivais là-bas. Ne deviens pas une chochotte parisienne.

Toi le Marocain, tu as plus de chance que madame Marty. Ce que tu es en train de lui faire là est indigne. Indigne. Tu m'entends ?

Je savais que cette voix en moi avait plus que raison, monsieur l'inspecteur. Je le savais mais le masque de la dureté sur mon visage était plus fort. Je n'arrivais ni à l'enlever ni à bouger. Monter vers madame Marty.

J'étais là, devant cette femme dans la chute, dans la fragilité absolue, et la colère en moi ne voulait toujours pas partir. Impossible de revenir à l'état normal. Redevenir ce doux Mounir que certains aveugles voyaient en moi.

Tu n'as pas de cœur, me disait parfois ma sœur Saloua dans mon adolescence. Arrogant, je lui répondais que je ne faisais que résister, défendre mon droit, sinon elle m'aurait dévoré tout entier.

On n'est pas au tribunal, tu sais, Mounir, et ce n'est pas parce que j'exagère parfois que toi tu as le droit de te transformer si vite en cet être froid et intraitable qui n'a plus de tendresse pour personne, pas même pour sa sœur.

Il te manque quelque chose.

Un peu de cœur. Un peu de cœur, Mounir.

Madame Marty était tombée. Et avait réussi à se relever toute seule. Elle n'était plus là. C'était fini. La bataille du jour avait pris fin, pour l'instant.

Je suis rentré chez moi. J'ai refermé la porte doucement. Et comme j'avais vu ma mère le faire tant de fois quand elle était hors d'elle, je me suis allongé par terre, directement sur le sol.

Les os de mon corps qui ont mal et qui jouissent de cet inconfort. La peau qui aspire à autre chose. La terre rude. Pas de douceur. Plus de douceur.

Revenir en arrière, dans le temps, dans l'espace, vers une autre frontière. La poussière dans les rues écrasées par le soleil infernal de l'après-midi. Les pieds nus, je marche pour volontairement me perdre et chercher les ennuis. Les problèmes.

J'ai fermé les yeux. Mes os étaient habitués au sol. Je me suis endormi, je crois. Combien de temps ?

Quelqu'un a frappé à la porte. Cela m'a réveillé. Madame Marty ? Oui, sans doute. Elle a raison, il faut se réconcilier, trouver une solution pour ces bruits qui nous gênent et nous pourrissent la vie.

Je me précipite à la porte. Je l'ouvre. Ce n'est pas madame Marty.

C'est la police. Deux agents. Un Blanc et un Noir.

Immédiatement, je l'avoue, je me suis mis à faire le gentil, le docile. Le bon immigré bien intégré. J'ai vite dépassé la surprise. Le temps de deux trois secondes, j'étais déjà un autre Mounir, celui qui ne demande qu'à jouer le soumis devant le patron, les maîtres. Vous voulez que je baise vos mains ? D'accord. Pas de problème. J'ai l'habitude. Vos pieds aussi ? Je le fais avec joie. Je ne suis rien. Juste un petit Marocain qui n'a pas encore obtenu la nationalité française et qui se prépare à enseigner le français après l'été dans un lycée de la banlieue parisienne. Vous me voyez ? Vous me croyez ?

Elle a peur de vous. C'est ce qu'elle a dit au téléphone quand elle nous a appelés.

Elle a peur de moi ?

Oui. Qu'est-ce que vous lui avez dit ? Elle est terrifiée.

Je vis ici depuis trois ans. À cause de madame Marty et de l'autre voisine, l'Autrichienne, je ne dors pas. Je ne dors plus. J'ai perdu le contrôle aujourd'hui et j'ai dit des choses, des mots que je n'aurais pas dû prononcer. Je vais m'excuser. Je n'ai rien contre madame Marty. Juste son bruit. Ses pas. Boum. Boum. Boum… Je suis devenu un peu fou.

Il faut vous faire soigner alors, monsieur.

Vous connaissez un bon docteur de la tête ?

Il n'y a que cela à Paris. Vous trouverez facilement.

Elle est gentille au fond, madame Marty, je le sais très bien. Comme moi, elle a ses nerfs, elle aussi.

Pas uniquement ses nerfs. Elle fait de l'hypertension. Elle souffre d'insuffisance rénale. Un peu de diabète. Un peu de tachycardie...

Tout cela ! Je savais seulement pour l'hypertension.

Elle dit que vous voulez sa mort.

Je ne suis pas méchant, messieurs.

Je ne suis pas venu en France pour rater ma vie. Devenir quelqu'un d'autre que moi-même.

Pourquoi êtes-vous venu alors ?

C'est une longue histoire... Je n'aurais jamais dû quitter mon studio rue de Belleville pour venir ici rue de Turenne. Je ne suis pas bien dans ce nouveau territoire. Là-bas, là-haut, avant, au moins je pouvais dormir. Maintenant c'est comme si on me torturait l'âme...

Bon. Bon. Bon. Vous raconterez tout cela au docteur de la tête comme vous dites. Vos papiers, s'il vous plaît.

Je leur ai montré ma carte de séjour de dix ans. L'un après l'autre, ils l'ont examinée de tous les côtés.

Elle n'est pas fausse, vous savez.

Je n'aurais pas dû prononcer cette phrase.

Je n'avais jamais eu affaire à la police en France.

Ces mots aussi, je n'aurais pas dû les laisser sortir de ma bouche.

Je vous raconte tout, monsieur l'inspecteur. Je n'ai plus rien à perdre. J'ai l'impression que c'est cela que vous attendez de moi, la vérité et tous les détails de la vérité. Alors je vous dis tout, en espérant que je vais ainsi sauver ma peau et que vous n'allez pas me placer en garde à vue. Je n'ai rien fait, vraiment. Je lui ai juste dit cette maudite phrase, « Les cimetières ce n'est pas ce qui manque à Paris, madame Marty ». Rien d'autre. Cela suffit-il à faire de moi un criminel aux yeux de la loi française ?

Vous avez votre passeport ?

Pendant que l'un des deux agents étudiait mon passeport, l'autre me regardait droit dans les yeux.

Ne pas être provocant. Ne pas être provocant. J'ai baissé les yeux et j'ai repris bien comme il faut le masque du gentil immigré. Je n'aurais vraiment pas dû plaisanter avec eux. Leur attitude a changé. Je le vois, je le sens. Ils se disent des choses dans leur tête. Ils se posent des questions sur moi. Quel con ! Quel con je suis ! Me voici maintenant soupçonné de je ne sais quoi. Je suis déçu. Je suis nul.

Vous avez 40 ans et vous n'êtes toujours pas marié ?

Que répondre à cette question ? Est-ce de la provocation ?

Je suis gay. Homosexuel.

Ah… C'est pour cela que vous êtes en France ?

Pas exactement… Je rêvais de Paris. Trop. Je suis venu ici pour terminer mes études de littérature française.

Et vous les avez finies ?

Oui. J'ai un doctorat.

C'est bien ! Un doctorat ! Waouh ! Vous êtes un intellectuel !

Je suis au chômage pour l'instant.

Au chômage et vous habitez un deux-pièces de 45 mètres carrés rue de Turenne ? Vous êtes locataire, je suppose… Vous payez combien par mois ?

Pas beaucoup. 500 euros. C'est un arrangement entre le père d'un ami et moi.

Comment s'appelle-t-il, cet ami ?

Julien.

C'est votre amant.

Non.

Qui est votre amant, alors ? Le père de ce Julien ?

Ni l'un ni l'autre.

Vous n'avez pas de petit ami en ce moment ?

Je suis obligé de répondre à toutes ces questions ? C'est quoi le rapport avec madame Marty ?

Aucun. Nous faisons notre travail. À vous de savoir où est votre intérêt. Vous n'êtes pas aussi gentil que vous prétendez l'être. Enlevez le masque.

Je ne baise plus.

Quoi ! C'est quoi ce langage ? Un peu de respect... Un peu de tenue... Donc... gay... pas marié... Et je vois sur votre passeport que vous avez voyagé l'année dernière deux fois en Turquie, une fois en Égypte et une fois au Maroc...

Oui.

Et... ? Qu'est-ce que vous êtes allé faire dans ces pays ?

Le Maroc, c'est mon pays d'origine. J'adore Le Caire, c'est la plus belle ville au monde pour moi. Un de mes meilleurs amis y habite. Il est professeur au Lycée français là-bas.

Comment s'appelle-t-il ? Julien ?

Il s'appelle Alain Martin.

Il aime l'Égypte ?

Oui… mais, excusez-moi, je ne vois pas pourquoi vous me posez toutes ces questions… c'est… c'est…

Et la Turquie ?

J'ai découvert Istanbul l'année dernière. J'ai eu un coup de foudre. Et comme ça ne coûte pas cher, j'y suis allé deux fois. C'est tout.

C'est tout ?

Oui, c'est tout.

L'Égypte. La Turquie. Quels autres pays musulmans avez-vous visités depuis que vous vivez en France ?

L'Égypte et la Turquie.

Vous avez dit que vous êtes au chômage. De quoi vous vivez alors ?

J'ai économisé un peu d'argent. J'ai été baby-sitter durant plusieurs années. Gardien au Jardin des Plantes. Et j'ai donné pas mal de cours privés. Je continue d'en donner, d'ailleurs. Des cours de soutien. Des cours d'arabe…

Des cours d'arabe ?

Je suis marocain, j'ai grandi et j'ai fait d'abord mes études dans cette langue. La langue arabe.

À qui donnez-vous ces cours ?

À des Français qui s'intéressent au monde arabe.

Comment s'appellent-ils, ces Français ?

Marie. Frédéric. Alain. Salim. Romain. Antonin. Karim. Juliette. Et plein d'autres… Ce n'est pas un crime, j'espère, d'enseigner la langue arabe en France ?

Cessez immédiatement de jouer au gentil Arabe ironique qui veut passer pour quelqu'un de modeste. Compris ? C'est nous qui posons les questions.

J'ai surtout compris que j'avais franchi un cap. J'étais désormais dans une situation compliquée. Il ne s'agissait plus uniquement de madame Marty. Avoir osé lui faire peur avait soudain pris un autre sens, pour les deux policiers comme pour moi.

Étant donné que je gardais le silence, ils sont passés à l'étape suivante, faire le tour de mon appartement.

On peut ?

Oui, vous pouvez, allez-y.

Mon appartement était vide, ou presque. Depuis trois ans que j'y habitais, je tenais absolument à le garder comme il était, vide. Dans la cuisine, le strict minimum pour faire à manger. Dans l'immense pièce de séjour, une grande table et deux chaises. Et dans la chambre à coucher, trois couvertures Tigre achetées à Barbès, étalées l'une sur l'autre directement sur le sol, faisaient office de lit.

Vous dormez par terre ?

J'aime ça.

Vous souffrez du dos ?

Non.

Vous êtes devenu bouddhiste, ermite ou quelque chose de ce genre ?

Pas encore.

C'est curieux quand même… Habiter un si bel appartement et ne rien faire pour le meubler… C'est vide… Et c'est bizarre…

Je ne me sens pas bien ici. À cause du bruit des voisines, je vous l'ai dit. Madame Marty justement.

Mais vous n'avez même pas un canapé. Et pas de télé non plus.

Je passe mon temps à lire.

Seulement à lire ?

Je n'ai pas trop de copains.

Vous êtes un solitaire qui aime lire et qui est devenu, à force de lire, obsédé par le moindre petit bruit extérieur, étranger à sa bulle. Un rien vous dérange. C'est bien résumé ?

Je vois que vous commencez à me comprendre. Je l'avoue, je suis devenu ces dernières années un peu paranoïaque et extrêmement névrosé.

Les docteurs de la tête. Les docteurs de la tête. Courez-y. Il y en a plein à Paris, on vous l'a dit.

Je crois que je ne vais pas rester ici. Dans cet appartement. Dans le 3e arrondissement de Paris. Ce n'est pas pour moi.

Et vous irez où ? En Turquie par exemple ?

Je n'ai pas l'intention de quitter la France. J'irai peut-être vivre en banlieue. Le lycée où je vais travailler à la rentrée comme prof remplaçant se trouve à Drancy. Sur le RER B.

Quelle matière allez-vous enseigner ?

Le français.

La littérature française... C'est ce que vous avez dit tout à l'heure ?

C'est ce que j'ai dit tout à l'heure. Vous voulez que je vous montre mes diplômes universitaires ?

Je croyais que cet interrogatoire n'allait jamais finir. C'était la première fois que j'avais affaire à la police en France.

Les deux agents ont pris mon numéro de téléphone. Mon adresse e-mail. Le nom de ma banque. Les numéros de mon passeport marocain, de ma carte de séjour française et de ma carte de Sécurité sociale. Ils avaient tout à présent. Ils savaient tout.

J'étais entré dans les radars de la police française. J'avais attiré l'attention sur moi. On m'avait repéré. Cela n'allait pas s'arrêter là. Ce premier interrogatoire n'était qu'un amuse-bouche.

Assez curieusement, prendre conscience de cette nouvelle menace m'a complètement refroidi. Je n'étais plus en colère, ni contre madame Marty ni contre le monde. Le sang ne bouillait plus dans mes veines. Et les bouffées de chaleur avaient disparu.

En revanche, maintenant que le moindre coin de mon appartement avait été visité par les deux policiers, je me sentais comme violé. J'avais un immense dégoût, de ce lieu et de moi dans ce lieu.

Une fatigue immense s'est abattue sur moi. Il faisait encore jour. J'ai fermé les volets. Le noir partout dans l'appartement. Et je suis allé vite m'allonger sur les couvertures-lit.

Au-dessus, madame Marty ne cessait de marcher dans son petit studio. Elle tournait encore en rond.

Les pas de madame Marty que je connaissais si bien.

Boum. Boum. Boum.

En plein jour.

Je ne lui en voulais plus. Plus du tout.

Ma décision était prise. Fuir de nouveau. Partir de ce monde du 3e arrondissement. Quitter ce territoire de folie froide qui ne se mariait absolument pas avec mon tempérament, ma folie marocaine.

Ouvrir un nouvel espace d'errance, loin du centre de Paris, loin des Parisiens et de leur distance, loin des zombies et de leurs yeux terrifiants.

Je n'avais vraiment rien contre madame Marty, monsieur l'inspecteur. Rien. Elle et moi, c'est une histoire passionnelle. Voilà. C'est tout. Mais l'arrivée de la police a tout changé.

J'étais un immigré arabe qui parlait si bien la langue française et maîtrisait si parfaitement la littérature française. À présent, j'étais soupçonné de préparer un mauvais coup dans cet appartement vide de la rue de Turenne.

C'est louche. Plus que louche. Tu es un terroriste en marche.

Les deux policiers n'ont pas eu besoin de prononcer ces mots. Leurs yeux se sont chargés de me transmettre le message.

Voilà, monsieur l'inspecteur.

Il était presque midi. J'ai continué d'écouter les pas de madame Marty et je me suis endormi. Très profondément.

Je ne me suis réveillé que très tard le lendemain matin. Vers 11 heures.

Je vous ai tout raconté, monsieur l'inspecteur. Je crois que je me suis lâché devant vous, trop peut-être. Mais vous savez pourquoi... Non ? Bien sûr que vous savez. Le temps a passé, oui, depuis la dernière fois. Je suis sûr que vous n'avez pas oublié. C'est impossible d'oublier. C'est impossible d'oublier ce qu'on a fait ensemble.

Je m'appelle vraiment Mounir Rochdi. Je ne vous ai pas menti.

Et vous ? Vous pensez, vous aussi, que je suis potentiellement un danger pour la France ? Un de ces terroristes musulmans très bien éduqués qui se retournent contre l'Occident qui les a pourtant bien accueillis. Vous pensez comme eux ? Vous avez changé ? Vous êtes toujours marié, Antoine ? Vous habitez toujours 17, rue Pradier, monsieur l'inspecteur ?

2

Soufiane

Avec Antoine, la première fois, cela s'est passé exactement comme dans le bus de Rabat. Au Maroc. J'avais 15 ans. À peine pubère. Tout au long du trajet, l'homme n'avait cessé de se rapprocher de moi, de se coller à moi, fort, de plus en fort.

Je n'ai pas résisté, je n'ai pas même pensé à le faire.

J'aimais ce que cet inconnu était en train d'initier. Ce qu'il m'offrait. J'aimais surtout son audace. Aller jusqu'au bout du désir dans le bus rempli de monde.

Mon corps était petit, maigre. Lui était grand et en très bonne forme. Il portait un costume et une cravate, ce qui indiquait qu'il était fonctionnaire dans le quartier des ministères. Il revenait du travail. Je revenais d'une errance dans les rues de la capitale. C'était un héros pour moi, cet homme. Un héros marocain qui silencieusement était venu vers moi pour me sauver d'un extrême désespoir. Que faire de moi et de ma vie au Maroc maintenant que tout le monde savait officiellement que j'étais pédé, une petite chose folle ? Et que faire de tous ces désirs fous pour les hommes qui n'arrêtaient pas de monter, monter, en moi ?

Nous étions au milieu du bus. Si serrés l'un contre l'autre, si serrés contre les autres passagers. Le hasard l'avait mis devant moi. Je lui faisais face et jamais je n'aurais osé faire vraiment attention à lui. Il avait l'air important. Pas du tout du même monde que moi.

C'est lui qui a commencé cette aventure. Creusé si profondément en moi. Qui est entré si loin dans mon corps. Prendre le risque, d'abord seul, puis avec mon aide active.

Il a mis sa main sur mon épaule.

J'ai levé la tête vers lui. Il m'attendait, déjà, un petit et discret sourire sur les lèvres.

J'ai compris, mais je n'ai pas eu le courage de répondre immédiatement de la même manière que lui. J'ai baissé les yeux. Il a retiré sa main de mon épaule.

J'ai cessé de respirer.

Cette main avait laissé sa chaleur, sa trace sur moi. Elle me manquait. L'homme savait ce qu'il faisait.

Après trente secondes exactement, je les ai comptées, il a remis sa main sur mon épaule. Pile au même endroit.

La chaleur de son corps a retrouvé la mienne.

Nous étions d'accord maintenant, connectés, dans le même courant, le même désir, le même risque.

N'aie pas peur, jeune homme.

Je n'ai pas peur, monsieur.

Sans ouvrir la bouche, on se parlait, on communiquait.

Je ne savais pas si les autres passagers avaient remarqué quelque chose ou pas. Cette séduction en marche. Cette opération sexuelle sur le point d'accéder à un nouveau niveau d'intensité. Je sens encore la présence des autres dans ce bus qui ressemblait à une boîte de sardines. Je vois leurs yeux et je vois leur silence. Je ne suis pas loin d'un grand danger. Mais je m'en fous. L'homme au costume et à la cravate a décidé pour moi. Je l'attendais. J'ai répondu vite, si vite, à son appel. Les autres ? C'est quoi, les autres ?

Au dernier arrêt, à Rabat, avant de commencer la descente vers chez nous, la ville de Salé, d'autres passagers sont montés. On a tous été poussés au fond du bus. D'un coup. Par une grande vague humaine. Tout au fond. J'étais à présent contre la vitre à l'arrière du véhicule. Je regardais le monde s'éloigner par l'arrière. Et l'homme si déterminé avait réussi à se frayer un chemin loin dans mon intimité, loin dans mon corps qui s'impatientait.

Il était derrière moi. Contre moi. Dans mon dos. Il respirait dans ma tête. Juste au milieu de ma nuque.

Je découvrais l'air qui sortait de lui. Son odeur. J'avais envie de pleurer. C'était hors de question. Je n'étais ni la petite chose folle ni le petit garçon fragile qu'ils disaient que j'étais dans notre quartier.

Mais les larmes étaient en train d'arriver à mes yeux, elles s'apprêtaient à couler. Il fallait les arrêter. Là. Maintenant. Ne pas gâcher ce moment de rêve si inattendu. Ne pas faiblir. Force-toi, mon petit Mounir. Pense à quelque chose de gai. Ta mère qui rit soudain, franchement, merveilleusement. Un film égyptien d'amour et de danse. Une chanson, un tube qui passe sans cesse à la radio. Vite. Vite. Tu l'as trouvé ? Chante-le. Fredonne-le.

Atlantis Is Calling, de Modern Talking, était dans ma tête, pas clair, puis de plus en plus net. Je ne comprenais pas les paroles en anglais. Plus tard, beaucoup plus tard, j'ai compris que ce que je chantais doucement correspondait en tout à ce que j'avais vécu à cet instant-là avec l'homme.

Atlantis is calling
SOS for love
Atlantis is calling
SOS for love

J'ai répété ces mots plusieurs fois dans mon cœur, dans ma bouche, dans mes mains. Il s'agissait vraiment de cela : un appel d'amour. Quelque chose qui advient enfin et qui vous élève haut, si haut. Je sors de mon adolescence pauvre, je quitte le territoire de ma ville Salé et ses murs, je vole, je lévite, je veux danser et j'ai toujours peur.

Mon corps continue son dialogue avec l'homme. Nous avons si peu de temps. Pour le moment, le bus est encore bondé. Les passagers transpirent, manquent d'air, étouffent. Pas moi. Pas nous.

Il est grand, l'homme. Il est plus grand que moi. Comment va-t-il faire ? Et que va-t-il faire ? Ouvrir sa braguette et sortir son sexe ? Se coller à moi et c'est tout ? Se courber légèrement et dans ma nuque déposer un baiser doux, rafraîchissant, parfumé ?

L'homme ne fait rien de tout cela. Il me surprend. Sa main droite saisit ma main droite. La serre un peu. Ses doigts traversent mes doigts délicatement. C'est moi alors qui m'accroche à lui, fort. Main à main. Je confirme ainsi, pour lui, tout ce qu'il a dans la tête.

Puisque l'amour ne peut exister sur terre que sous cette forme, volée, allons-y, soyons de grands voleurs. Je suis là. Avec toi. Prends. Touche. Joue. Respire. Palpe. Entre. Va loin, le plus loin possible. Le bus est un lieu public ? Et alors ! Les gens pourraient nous voir ? Ils nous voient déjà ! Allah est partout ? Allah est surtout miséricorde et sa générosité est immense, c'est ce que je retiens des sourates du Coran. Je suis un homme, un adulte, et tu es jeune, un enfant, on dirait. Oublie ces détails, je suis plus âgé que tu ne le crois. 15 ans. On a le droit de faire, de vivre des choses à 15 ans, non ? Oui. Oui !

Je suis Soufiane.

Je suis Mounir.

L'essentiel est dit. La magie n'attend pas. Il le savait très bien. Et il n'avait pas besoin que je le pousse davantage, que je l'encourage encore et encore.

Au bout de ce monde noir, il y a toujours l'espoir d'une nouvelle vie, heureuse, même brève.

J'en étais sûr.

L'homme du bus était ce jour-là cet espoir et cette nouvelle vie. Un doigt qui dessine un cœur dans ma main. Un genou qui se presse contre l'arrière du mien, qui se fraye un chemin entre mes jambes. Un sexe qui se dresse, qui n'en peut plus. Il va exploser. Je le sens dans mon dos. Je dois le calmer. Je joue avec lui. Je fais bouger mon corps très très lentement. Il me suit, l'homme. Et exécute sur moi sa propre danse. Je la découvre, enchanté.

Il fait si chaud. Je suis si hardi. Je sors la chemise bleue de l'intérieur de mon pantalon vert. L'homme lâche ma main. Il entre dans ma peau, puis se dirige vers les fesses. Sa main est si douce, si fraîche. On dirait que la chaleur n'a pas d'effet sur lui. Je crois même qu'il ne transpire pas. Ce qu'il fait est précis, tellement précis.

Et je suis au bord de l'évanouissement.

Ce n'était pourtant pas la première fois. Le corps des hommes, je connais. Le mien, pour des raisons qui m'échappent, les attire. C'est comme si, à mes côtés, l'interdit, le péché et Allah ne faisaient pas le poids. Je leur avais offert ce que je pouvais, à ces hommes tendres malgré eux, malgré leurs gestes violents.

Un jour, ils se sont mis à me payer. De l'argent en espèces. Cash, comme ils disaient. Des dirhams. 50. 100. Parfois même 200. Au début, j'étais ravi. Au bout d'un mois, j'ai compris. J'avais d'autres rêves.

Mon corps ne pouvait pas accepter tout cela. Tous ces étrangers qui avaient entendu parler de moi, de ma disponibilité, de mon ouverture d'esprit. Mounir, pas de problème. Il est à tout le monde. Il est exceptionnel quand il se donne. Mieux : elle est exceptionnelle.

J'ai arrêté. D'un coup. Ils n'ont rien compris, les hommes du quartier. Ils ont continué, avec les mêmes stratégies, sans surprise, à me faire des cadeaux. Je les refusais. Ils me disaient : Tu es fou, comment on va faire sans toi ? Tu n'as pas le droit de nous abandonner, petit Mounir. On s'est habitués, à ta peau, à ton sexe, à tes fesses, à ton trou. Tu n'as pas le droit.

J'ai dit que je n'avais plus la santé pour les recevoir tous en moi.

Ils ont répondu qu'ils me laissaient me reposer quelque temps. Deux semaines ? Un mois ? Très bien, un mois d'abstinence pour toi et pour nous.

Ils n'allaient pas me lâcher. Il n'y avait personne pour me remplacer dans le quartier. Il me fallait donc être plus malin qu'eux.

Je me suis mis à prier, à fréquenter la mosquée tous les jours. Ils ont cru que ce n'était qu'un rôle que j'allais vite abandonner. On va te manquer, tu verras. C'est toi qui reviendras de toi-même.

Pendant toute une année, la prière m'a sauvé, m'a apporté un sens, m'a éloigné de l'homosexualité. M'a protégé des hommes frustrés du quartier.

Il est devenu sincèrement musulman, le petit Mounir. Il nous faut trouver quelqu'un d'autre.

Il s'appelait Samir, Samir du bloc 12. Il avait 14 ans. Il se teignait les cheveux en blond. Il mettait du khôl dans ses yeux. Et il chantait tout le temps les chansons de Samira Saïd. D'ailleurs, les garçons ne l'appelaient pas Samir. Ils l'appelaient Samira Saïd.

Je n'ai rien pu faire pour lui. Il était plus courageux que moi. Plus lucide. Plus triste. Plus réaliste. Plus pauvre.

Tous les chemins mènent à la mort. Moi, Samir, j'ai décidé d'y aller, à cette fin, à toute vitesse. Sans attendre la vieillesse. Mourir jeune. Sortir de cette détresse. De ces larmes interminables. Ils m'ont condamné à être violé chaque jour, chaque nuit, partout. Il n'y a rien à espérer dans cette vie. Il n'y aura pas de surprise. Il n'y aura pas de révolution.

Je me suis éloigné du quartier, je me suis éloigné de Samir que je ne connaissais pas vraiment, d'ailleurs. Mais je savais qu'il payait pour moi, qu'il mourrait à ma place.

J'ai continué de prier pendant deux ans. J'aimais la paix qui m'envahissait. La fraternité mystique que je rencontrais à la mosquée. Et moi aussi j'entendais la voix d'Allah, il avait raison l'imam.

J'ai résisté sans réellement résister. J'ai surtout sauvé ma peau. Les hommes du quartier m'ont oublié. Je n'avais plus de valeur pour eux.

Mais le cœur romantique, un jour, s'est réveillé. Il avait soif. Il avait faim. Il m'a poussé vers un autre territoire. Celui de la capitale Rabat où personne ne me connaissait et où je pouvais tenter tout ce qui me passait par la tête. Je volais de l'argent à ma sœur aînée ou bien à ma mère. Je prenais le bus. Je traversais le fleuve qui sépare les deux villes. J'étais à Salé. Je suis à présent à Rabat. Et derrière moi il y a cet homme, au costume et à la cravate, qui continue de toucher mes fesses, doucement, très doucement. Ai-je raison de m'abandonner à lui si facilement ? Veut-il la même chose que les autres ? Juste le sexe mécanique ? Juste le sexe froid ? Non. Non. Sa façon de faire indique l'inverse. Il a l'air d'un homme éduqué. Il travaille au ministère. Et rien que cela va suffire pour que je rêve de lui régulièrement durant plusieurs années.

L'homme des ministères.

Il s'arrête. Il enlève sa main de mes fesses. Il part ? Il abandonne ? Il me rejette ? Je ne lui plais plus ? Il va descendre du bus ? Rien de tout cela. Il met tout son corps contre mon corps. Plus fort qu'avant. Et il regarde, comme moi, dans la même direction que moi, le monde qui défile et s'éloigne devant nous.

Ce lieu magique est important pour nous. Ce lieu où violemment deux mondes se rencontrent. Le fleuve Bouregreg les partage, les lie. Et l'océan Atlantique les accueille et ne cesse de les envahir. Deux villes. Rabat qui regarde Salé. Salé qui défie Rabat. Et la casbah des Oudayas là-haut, sur une petite colline rien qu'à elle, à l'embouchure du fleuve, comme un rêve. Un beau mirage. Jardin et prison à la fois. Palais et forteresse d'un temps ancien.

Un lieu entre deux univers. Deux histoires. Un espace où fuir quelques heures, faire l'amour, tuer l'amour, partager le butin, sortir définitivement de la norme, de la peur, et marcher, marcher jusqu'à la fin parce qu'il n'y a que cela de vrai. La fin.

Espérer aussi. Que la mise en scène fermée, stérile, de nos petites vies meure enfin. Qu'autre chose advienne. Et s'il faut supporter encore plus le mal, la haine et les pierres en attendant ce miracle, le cœur finira par s'y habituer.

Le cœur de l'homme parlait. Tout dans mon corps écoutait attentivement ce qu'il avait à dire.

La vérité et rien d'autre.

Le désir hors la loi pour mieux survivre.

On vole. On ment. On se soumet. À longueur d'année. Mais pas là, pas dans ce bus à cet instant précis. À cette frontière.

Les monuments tout autour nous regardaient, l'homme et moi unis, pendant qu'on les regardait. La tour Hassan surtout était plus joyeuse que d'habitude, plus à l'écoute. De notre côté enfin. Un peu plus loin, toujours du côté de Rabat, les ruines du Chellah où se trouve l'anguille sacrée.

Quoi qu'il arrive avec cet homme, j'irai rendre visite à cette anguille. La remercier. Lui faire une petite offrande. Écouter ses prédictions. D'avance chercher ses consolations. Sa tendresse pour les perdants.

Dès qu'on a eu traversé le fleuve Bouregreg et qu'on a été du côté de Salé, chez nous, l'homme est redevenu sexuel. Il a mis sa main sur ma tête, a caressé très lentement mes cheveux, et cela a suffi à le faire de nouveau bander. Sans sortir de son pantalon, son sexe cherchait un chemin entre mes jambes.

Personne ne bougeait. Tout était normal, tranquille. Les passagers apparemment ne remarquaient toujours rien.

Plus bas, entre mes fesses et son sexe, c'était une véritable bataille qui avait lieu. Une bataille pour de faux qui devenait une bataille pour de vrai.

J'ai besoin qu'on me tienne, qu'on ne me laisse pas décider, prendre le contrôle.

L'homme l'avait compris, parfaitement.

Le rythme s'est accentué.

L'air qui sortait de lui était plus chaud. L'inspiration et l'expiration duraient plus longtemps.

Pour être complètement avec lui, et à lui, je me suis mis à respirer exactement de la même manière que l'homme.

Sa mise en scène dominante m'allait très bien. J'étais faible et fort à la fois. Sa main. Son bras. Son sexe. Son petit ventre. Ses poils. Son corps en mouvement. Dans la maîtrise. Puis, juste après, dans l'absence de maîtrise.

Il a cessé de respirer. Son corps s'est pétrifié.

L'attente a duré cinq secondes.

Il a joui dans son pantalon, dans son slip, entre mes jambes.

J'ai reçu cela comme une bénédiction. Et malgré moi je tremblais.

Au lieu de m'abandonner, l'homme, ému, heureux, s'est penché un peu plus sur moi et m'a recouvert de tout son corps.

C'est ce petit instant qui reste le plus gravé dans mon cœur et dans ma peau.

L'homme ne part pas. Il demeure fidèle à Mounir. Il donne encore de la tendresse à Mounir. Il remercie Mounir. Il offre encore plus d'intimité vraie à Mounir et lui.

Le bus roulait, roulait. Et moi, je n'avais plus aucun doute, j'étais en train de tomber amoureux.

Il n'a pas bougé, l'homme. Il est encore là. Il s'accroche toujours à mon corps. Il respire dans mon oreille et dans ma nuque. Il est toujours en train de faire connaissance.

Je suis heureux. Je ne veux rien de plus de la vie. Juste ce moment. Cette ouverture totale. C'est lui. C'est avec lui que je serai, avec lui que je vais partir, me marier.

Je suis attaché, de plus en plus. Seconde après seconde. Plus que surpris, je suis ébahi. Je suis en train de boire et de manger tout ce qu'est cet homme.

Pour à la fois célébrer et affirmer cela, ce sentiment, ce lien, sans demander l'autorisation je saisis sa main gauche et je la rapproche doucement, au ralenti, de mes lèvres.

Je la tiens. Sa main. Je la respire. Longuement. Je mets tout mon visage dans cette main. Je voyage entre ses lignes. Je prends son odeur, son destin et sa tendresse.

C'est si innocent, cette main. Tellement à moi, cette main. Je la rapproche encore plus de ma bouche et j'y dépose un baiser amoureux. L'homme a la générosité de ne surtout pas s'impatienter. Alors, je la garde le plus longtemps possible, la main. Je m'endors dedans. Je fais des rêves. Je lui raconte des secrets. Je fais d'elle ma confidente, mon alliée, mon avocate.

La main de l'homme est ma main. On est la même chose. Le même corps.

Le bus se rapproche de son troisième arrêt à Salé. La station du cinéma La Victoire.

Je ne m'y attendais pas. La fin a eu lieu si vite. Je n'ai presque rien vu venir. L'homme a retiré sa main. Il a déposé un baiser de grand frère sur ma tête et il est descendu du bus.

Il est dehors, là-bas, dans la rue, loin de moi, dans un autre monde. Je reconnais son costume, sa cravate bleue, ses chaussures noires, les poils légèrement frisés sur ses mains. Je reconnais même ses doigts et ses ongles.

Je découvre son visage.

C'est lui. Lui ?

Il est plus grand que je ne le pensais. Son visage est mince tout en étant large. Il porte la barbe. Elle est noire. Très noire.

Il a des lunettes.

Je l'avais imaginé physiquement proche des gens comme moi. Pas trop sophistiqué.

C'est un autre homme. Bourgeois visiblement. Distingué. Cultivé. Intellectuel. Un immense tunnel soudain s'installe entre nous. Un abîme même. On était plus qu'intimes, nous voilà étrangers. Les traces de son sperme sont encore humides entre mes jambes mais c'est comme si elles ne venaient pas de lui.

Il est beau. D'une beauté tranquille.

Il est séduisant et cela le rend encore plus distant, plus bourgeois. Il appartient sans doute à une de ces grandes familles historiques qui dominent et pillent Salé. Une véritable mafia qui méprise tous ceux qui ne sont pas des soumis, qui ne sont pas selon elle des vrais Slaoui. Il fait partie de ce club fermé dont on ne croise jamais les membres nulle part, on les voit seulement parfois à la télévision en train de baiser bien comme il faut la main du roi Hassan II, de jouer parfaitement, admirablement, les soumis distingués devant un monarque dictateur qui ne les regarde même pas.

L'homme du bus a dû rencontrer lui aussi Hassan II.

C'est horrible. C'est triste. C'est dégoûtant. Tout, absolument tout, nous sépare. Le rêve est fini. Les images du paradis entre lui et moi sont en train de tomber. De se remplir petit à petit d'amertume, de distance, d'un rappel à l'ordre.

Je ne suis rien. Pauvre. 15 ans.

Il est tout ce que je ne serai jamais.

De quoi ai-je exactement rêvé quand il était collé à moi, si tendre, si beau, si humain, si amoureux ?

Que faisait-il dans le bus des pauvres ? Cherchait-il seulement, lui aussi, un petit être faible comme moi contre lequel impunément écraser son sexe affamé, un de ceux d'en bas qui forcément n'oseront jamais dire non à quelqu'un comme lui si sûr de sa beauté et de sa classe sociale ?

C'était cela qui s'était passé entre lui et moi ? Un mensonge ? L'exploitation de mon corps encore une fois, comme avec tous les autres hommes lâches du quartier ?

Pas d'amour ? Aucun amour ?

C'est quoi alors ce sentiment en moi, pour lui, sur lui, autour de lui, et avec le parfum de son sperme, que je ressens et que je respire encore si fort ?

Je suis fou. Je suis naïf. Je suis perdu. Un adolescent troublé, rien de plus. Depuis toujours dans des sentiments excessifs. Oui. Mais cela expliquerait-il mon attachement si fort, si rapide, pour cet homme, cet inconnu, ce bourgeois ? Je n'ai pas deviné qui il était. Je n'ai pas deviné qui il était vraiment.

Il habite les villas. C'est foutu. Il n'y a aucun espoir. Aucune élévation possible à l'horizon.

Je suis loin, dans le quartier des maisons pas encore finies, presque sans toit, où quelqu'un comme lui ne mettra certainement jamais les pieds.

Ce n'est pas un tunnel qui nous sépare. C'est l'océan Atlantique tout entier.

Il a obtenu ce qu'il voulait. Il s'est vidé les couilles sans payer, comme ça, si facilement, et en plus l'imbécile que je suis lui a donné un peu d'amour. Un joli souvenir d'un petit pauvre bien docile.

Le bus va repartir. Les passagers, descendus à l'arrêt du cinéma, ont tous disparu. Mais lui, cet homme au beau visage, il est encore là. Il attend. Sa tête est baissée. Il pense à je ne sais quoi, à autre chose, pas à moi, sûrement pas à moi, je n'existe déjà plus de toute façon.

Je m'apprête à le maudire. À lui envoyer des mots durs remplis de tristesse et de déception. Pourquoi m'as-tu emmené sur la lune ? Et pourquoi suis-je déjà mort ?

Elles montent, les phrases assassines. Il est noir, mon regard. Froid, livide, mon visage.

Le bus repart.

Je continue de regarder l'homme. C'est la dernière fois. Ne dis pas de mots méchants, Mounir. Oublie plutôt. Rentre chez toi. Pleure si tu veux. Efface l'une après l'autre les images de cet homme qui ne part pas, qui continue de baisser la tête et qui ne veut plus te reconnaître.

Ce sera dur d'oublier, je sais.

C'est de l'amour que tu as en toi pour lui, je l'ai compris.

Ne fais pas le méchant. Ne dis rien. Attends. Attends. On ne sait jamais.

Le bus s'éloigne.

Comme d'habitude, je compte les secondes. Je baisse les yeux moi aussi. Je reviens dans le monde noir d'avant. Je reprends le goût de l'ennui, du danger et de la tristesse.

Je relève les yeux, sans espoir.

Je vois tout d'abord son sourire, léger, envoyé vers moi. Pour moi, c'est sûr. Instantanément, j'oublie les doutes et les nuages sombres. Je réponds immédiatement. Avec un sourire grand, franc, heureux.

Je suis comme sauvé. Non, pas comme. Je suis sauvé.

L'homme confirme ainsi toutes les promesses d'avant qu'on s'est faites sans les nommer dans le bus. Mieux : je vois ses deux mains s'élever dans l'air et faire des signes. Demain, ici même, même heure, d'accord ?

En guise de réponse, je souris encore plus grand, plus beau.

Il est ravi.

Il me dit au revoir de la main gauche, celle que j'ai respirée.

Nos yeux se sont rencontrés à ce moment-là. Pour la première et dernière fois.

Le bus a tourné à gauche. L'homme est sorti de mon champ visuel. Je ne l'ai plus jamais revu.

Je suis allé le lendemain au rendez-vous, à côté de l'arrêt du cinéma La Victoire. Personne. Je l'ai cherché dans le quartier des villas, bloc après bloc. Personne. La semaine qui a suivi, je suis retourné à Rabat et j'y ai passé une journée entière à arpenter dans tous les sens les rues du quartier des ministères avec l'espoir de le voir surgir. Un miracle. Un deuxième miracle.

Rien. Rien. Personne. Que moi, perdu, errant.

Cela s'est passé il y a vingt-cinq ans. Aujourd'hui, j'ai bientôt 40 ans et l'homme du bus est toujours là, si vivant dans mon corps, un roi tendre dans mon cœur. J'ai vécu et j'ai vécu. Mais je n'ai pas oublié, ni lui tout contre moi ni son sperme qui sentait l'herbe et le lait froid.

J'ai cessé de lutter. J'ai cherché et j'ai abandonné. Quelque part, là-bas au Maroc, à Salé, il pense à moi lui aussi, j'en suis certain. Ce ne sont pas des illusions, non. J'ai cessé de rêver d'amour, sauf avec lui. Une première et dernière fois une petite fenêtre s'est ouverte : j'ai respiré l'air pur qu'elle a laissé entrer. Cet air et l'odeur du sperme de l'homme du bus sont encore dans mes poumons, dans ma peau, dans mes veines et tout au fond de mes yeux avec lesquels, aveugle, je vois le monde.

Antoine, l'inspecteur de police qui m'a interrogé durant trois heures, est entré dans ma vie de la même manière que l'homme du bus.

Le RER A. Station La Défense-Grande Arche.

Après quinze ans de vie à Paris, je n'étais plus satisfait d'être au cœur du mythe intellectuel froid construit autour de cette ville. Vivre au centre de la cité légendaire ne me suffisait plus. La réalité simple de la vie pauvre, comme au Maroc, la réalité quotidienne, triviale même, me manquait terriblement.

J'étais en apparence si libre à Paris, si maître de moi, si réfléchi, si cultivé, si indépendant. Mais malgré moi une nostalgie du monde d'avant m'habitait désormais jour et nuit. Pas une nostalgie des gens du Maroc et de leur dictature stérile, la famille et tout ça, non, non. Plutôt une nostalgie des sensations fortes, violentes, trop violentes que je ressentais en traversant ce monde. Le monde. Ici, à Paris, on ne me regardait pas, personne ne jouait avec moi, ne faisait attention à moi. Je pouvais passer des jours et des jours sans parler à personne. Que moi à moi. Dans trop de moi.

J'étais moi. Et c'est tout. Après avoir tout détruit pour être soi-disant enfin libre, je me rendais compte que je ne construisais plus rien avec les autres, avec le monde. J'avançais. Oui. J'évoluais. Oui. Mais dans la déconnexion, la solitude. Une autre forme de solitude.

Le monde à Paris ne me voyait pas.

Et, à l'approche de la quarantaine, je voulais soudain être vu avant qu'il ne soit trop tard, être dérangé, être bousculé, être dans l'échange vrai, même futile, et non pas dans un échange où tous les mots sont en permanence soupesés avant d'être dits, prononcés si sérieusement, proclamés avec tant de certitude et tant d'arrogance.

Je devenais comme eux, moi aussi. Je parlais précis. Je parlais en très bon français, parfait, faussement doux et incroyablement froid. Je parlais chic avec le sentiment d'être guindé. Et au fond, je ne disais rien. Rien ne se disait. Les jours passaient, les mois passaient, ma vie passait, et l'essentiel n'était pas là.

Un lien humain en dehors de tout calcul.

Quelque chose de spontané, de surprenant, de spirituel, de sexy, de sexuel, qui me fait sortir de toutes les dictatures.

Je voulais redevenir ce petit chat qui marchait au milieu des tigres affamés. Il a peur mais cela lui donne de l'énergie, de l'intelligence, de l'initiative. Il est tout petit, il est vraiment tout petit, minuscule, eux, ils sont si puissants. Ils vont le manger, c'est sûr. C'est écrit. C'est la fin. Mais ce n'est pas ça qui arrive. Un je-ne-sais-quoi d'innocent et de putassier chez le petit chat va inverser les règles du jeu. La fin n'est pas pour aujourd'hui.

De ces batailles quotidiennes au Maroc, la petite chose folle et efféminée que j'étais sortait à la fois traumatisée et excitée. Il ne fallait jamais baisser la garde. Tout, le lendemain, la semaine dernière, le mois d'après, recommençait. Les guerres. Les affrontements. Les cris. Les insultes. Les règles. L'intensité folle. Et étrangement, au cœur de tout cela, il y avait de l'humanité, de la séduction, de la transgression, du sexe volé, de l'amour malmené et sans cesse redéfini.

Je n'étais pas aveuglé par la nostalgie. Je savais parfaitement les raisons qui m'avaient poussé à partir du Maroc, à m'exiler. La pauvreté principalement. Je n'oubliais rien des atrocités que j'avais vécues là-bas. Le silence assourdissant au milieu du vacarme de la foule. Cela avait failli me tuer. J'avais survécu. Je me sentais fort à plus de 40 ans, capable de parler, de manipuler et de jouir ouvertement. Je voulais revenir là où tout avait été impossible au départ et marcher si sûr de moi, marcher important, aux autres imposer ce que la vie m'avait pris.

En d'autres mots : j'avais en moi de la nostalgie assumée aussi bien que le désir légitime de me venger. De le faire avec un plaisir étudié, sans aucune pitié.

Antoine, homme marié depuis quinze ans, en était là également. Au même point. Et c'est pour cela que le destin nous a réunis.

À la station La Défense-Grande Arche du RER A, il m'attendait.

Et moi aussi, je l'attendais.

Pour sortir de ma zone de confort et d'inconfort, j'avais décidé enfin, et avec beaucoup de honte je l'avoue, d'aller explorer la banlieue, d'aller à la rencontre de ces Français arabes, africains, nés ici mais que la France voyait toujours comme des immigrés. C'est-à-dire pas vraiment à la hauteur de ce pays. Presque indignes de ce pays.

Je voyais soudain le lien entre eux et moi. Clairement. Très clairement. Et, terrifié, je me rendais compte que depuis mon installation en France je les avais pareillement négligés, ignorés, maltraités, peut-être même méprisés.

Il a fallu que j'arrive à ce point précis de ma vie, à cet âge, pour que je me tourne vers eux, que je reconnaisse leur humanité, leur histoire, et que, avec une curiosité bienveillante et une humilité sincère, j'aille à côté d'eux réapprendre la vie. Les voir dans les ghettos de la France. Les aimer. De près. De loin. Les enregistrer en moi. Leur donner je ne sais quoi de moi. Construire un pont entre nous. Et surtout ceci : par ce mouvement, espérer être sauvé de cette perte de sens que je traversais, dans laquelle je m'enfonçais, être sauvé de cette rue de Turenne où, déplacé, je vivais comme un véritable ovni. Un homme malheureux.

Un Marocain sans importance.

Un Marocain sans avenir.

Un Marocain en conflit ouvert qui ne supporte plus les bruits du monde où il habite.

Un Marocain faux.

Triste. Triste. Triste.

La banlieue et ses habitants dévalorisés, c'était cela l'espoir. Entrer dans leurs richesses.

J'avais bien conscience que je leur en demandais trop. Et peut-être même que le pédé sophistiqué que Paris avait fait de moi, malgré sa générosité à leur égard, les regardait avec exotisme et les enfermait à son tour dans une complaisance suspecte.

Je savais cela.

Mais j'y suis allé quand même.

À Châtelet, au lieu de prendre le RER B, j'ai pris le RER A.

Je me suis arrêté à la station La Défense-Grande Arche. La foule là, déjà, semblait autre. Moins dans la distance. Les gens étaient habillés plus simplement, rien de frimeur, rien d'exagérément original, et les corps, même exténués, même usés, avaient en eux une forme de fierté naturelle que venait renforcer l'humilité.

Je n'ai pas voulu quitter la station. Je me sentais bien. De nouveau dans l'immensité. Tranquillisé par d'autres bruits. Aspiré par le mouvement de ces gens qui vivaient presque sur une autre planète alors qu'on est juste à côté de Paris. La banlieue très proche de Paris.

Je me suis assis sur un des sièges en plastique blanc. Et j'ai commencé à attendre. Faire semblant d'attendre l'arrivée du prochain RER.

Au bout de trente minutes, je me suis rendu compte que je n'étais pas le seul à attendre de cette manière. D'autres gens, apparemment normaux, étaient là eux aussi pour vivre cette expérience : être bloqué dans l'attente.

La station La Défense-Grande Arche paraissait avoir été construite pour créer et donner à voir ce sentiment, mais sans lourdeur, sans apitoiement, sans trop de commentaires.

Ces gens, comme moi, attendaient un long moment. Puis, doucement, ils se levaient et ils partaient.

Naturellement, j'avais trouvé le bon endroit. Il fallait donc que je passe par là pour aller marcher dans ce nouveau monde. Que j'obtienne d'abord l'autorisation. La bénédiction peut-être.

Les escaliers mécaniques menaient vers un autre univers, à la surface. Les banques. Les sociétés. Les supermarchés. Une immense salle de concert. Cela ne m'intéressait pas. Je restais toujours en bas, sous la terre, à prolonger le plus possible cet état, ce sentiment, cette fraternité.

Plus tard, après plusieurs semaines, je me suis autorisé à avancer un petit peu, à aller un peu plus loin. J'ai repris le RER A, direction Cergy, et je me suis arrêté à la station suivante. Nanterre-Préfecture. Là, je n'ai pas hésité à monter, sortir. J'ai marché longtemps. J'ai traversé un quartier froid, administratif et un peu bourgeois. J'ai fait le tour d'un parc immense, nu, et qui avait quelque chose de japonais. Et, sans le savoir dans un premier temps, j'ai atterri dans la cité Pablo-Picasso. Au centre de celle-ci, il y avait deux boucheries hallal, un supermarché Contact et une galerie commerciale étrange qui m'a tout de suite attiré.

Cette galerie n'avait pas de porte. Juste un couloir très sombre en guise d'entrée. Les murs étaient noirs et on avait l'impression qu'un incendie venait d'être éteint là, seulement un jour ou deux auparavant. Elle était constituée de deux allées. La plupart des boutiques étaient fermées, pour toujours. Seuls un salon de coiffure et une pharmacie étaient encore ouverts dans la première allée. Le salon appartenait à deux Algériens, Hakim et Abbas. Et la pharmacie, toute petite, était en permanence bondée. Dans la deuxième allée, il y avait une boulangerie-pâtisserie très grande.

Si je suis retourné à la cité Pablo-Picasso de très nombreuses fois, c'est surtout pour cette boulangerie-pâtisserie. Elle avait un nom à la fois invraisemblable et magique : La Clé du Paradis. Les personnes qui y travaillaient étaient des jeunes femmes voilées. Toutes. Un voile comme une arme pour à la fois affirmer une identité, une liberté, et se distinguer. Créer peut-être une image de marque. Sans s'excuser, se donner à voir fièrement. Des femmes qui gagnaient à être connues au-delà des clichés que l'époque véhiculait sur elles. Elles étaient six. Une équipe de femmes de plusieurs origines. Maghrébines. Égyptiennes. Françaises de souche. Et leur cheffe était une Noire. Elle était aussi la plus belle. Celle qui souriait le plus et, ainsi, dirigeait ce petit monde sans jamais avoir à élever la voix. Elle n'en avait pas besoin à vrai dire : l'harmonie et la solidarité entre ces jeunes femmes étaient évidentes, frappantes, et cela procurait du plaisir, du bonheur même, aux clients très nombreux.

Le nom de la boulangerie était justifié. Une certaine idée du Paradis était bien vivante ici, où la baguette tradition était aussi incroyablement bonne qu'un petit gâteau typiquement marocain, la chebbakia. J'en ai acheté une coupée en deux et j'en ai mangé une deuxième, debout, en buvant du thé à la menthe dans une sorte de petite buvette installée à l'entrée du magasin.

Il y avait là quelque chose de sorcier. L'air était rempli de ce parfum délicieux qui ramène immédiatement à l'enfance heureuse, même fictive : l'eau de fleur d'oranger. L'eau qui apaise et endort. Qui réveille et permet de sortir de ce monde. Pour deux minutes. Ou bien pour toute une journée, toute une saison. Cette équipe de filles venait directement d'un vidéoclip de Beyoncé. Celui avec les danseuses guerrières qui matent et castrent les mecs. *Run the World*. Et après avoir accompli leur performance, elles se dirigeaient vers la mosquée pour se rapprocher davantage d'Allah.

Franchement, elles étaient belles, inspirantes, indépendantes et très en avance sur leur temps.

Je suis retourné à Pablo-Picasso pour elles, pour être dans l'admiration devant elles. Heureux, exprimer cette admiration et cet amour sans gêne, sans hésitation.

Une fois, la patronne noire m'a dit : Depuis quelque temps, vous venez ici régulièrement. Vous vous appelez comment ? Mounir. C'est joli, Mounir. Vous avez pris du poids, Mounir, depuis la première fois que vous êtes venu ici, il y a six mois. Cela vous va bien. Très bien même. Tenez, prenez ce gâteau algérien. Je vous l'offre et... si je peux me permettre... ne coupez pas vos cheveux trop court... Laissez-les pousser, la barbe aussi, cela va adoucir les traits fins de votre visage... Avec le crâne rasé, vous avez l'air d'un soldat en colère qui n'a pas envie d'aller à la guerre.

Elle a été un instant comme une mère avec moi. Puis, tout de suite après, elle est passée à un autre registre : la drague.

Je ne rêvais pas, elle me draguait. Elle a recommencé la semaine suivante. Rien de lourd, rien de trop sérieux, juste une petite tentative, on ne sait jamais.

Au lieu de lui répondre que j'étais homosexuel, j'ai souri. Quelque chose me disait que cela allait suffire à le lui faire comprendre.

J'adore vos gâteaux.

Revenez quand vous voulez, Mounir.

Elle n'avait pas besoin de trop me prier pour que je le fasse. Avec le temps, c'est devenu comme un rituel. La station La Défense-Grande Arche. Attente.

Nanterre-Préfecture. Le parc André-Malraux. Pablo-Picasso. Je me fais couper les cheveux chez le coiffeur algérien. Et je vais à la Clé du Paradis.

Peu après avoir rencontré Antoine, avoir osé lui parler au milieu de la foule de la station de RER La Défense-Grande Arche, je lui ai proposé d'aller à Pablo-Picasso.

Il n'a pas hésité à me suivre. Ravi.

Une semaine plus tard, quand il m'a dit enfin qu'il était policier et qu'il avait même travaillé au tout début de sa carrière dans ce quartier, cela ne m'a pas choqué. Je l'ai pris comme un signe positif. Il fallait que l'on se rencontre lui et moi. C'était écrit. Bien sûr.

Il n'y avait plus de doute dans les yeux de la patronne noire de la boulangerie quand j'ai ramené Antoine avec moi. En quelque sorte, je faisais ainsi mon coming out à la Clé du Paradis.

Je lui sers la même chose qu'à vous ? Deux gâteaux algériens et un verre de thé à la menthe ?

J'ai failli pleurer devant autant de gentillesse et d'acceptation de l'autre tel qu'il est.

Au fond, je savais très bien qu'elle avait un peu de sentiment amoureux pour moi. Mais ce qui me bouleversait le plus, c'était de voir en elle, dans son attitude vis-à-vis de moi, cet amour pour moi qui continuait même si, à présent, elle en était sûre, je n'étais pas pour elle, pour son cœur.

Je sais que tu ne seras pas celui que je rêve que tu es. Ce n'est pas grave, Mounir. Ce n'est pas ta faute. Et même si ça l'était, je te pardonnerais. Je t'accepte. Je te pardonne. L'amour continue.

Antoine n'a rien saisi de tout cela. Mais entre elle et moi, le dialogue de la séduction était toujours bien là.

J'étais à la fois heureux et triste.

C'est elle-même qui nous a apporté les gâteaux algériens et les deux verres de thé à la menthe.

Bon appétit, messieurs !

Antoine a dévoré son gâteau. Et le voir manger avec un tel plaisir, en se léchant les doigts même, m'a rappelé son attitude libre et son audace chaleureuse lors de notre première rencontre.

Dans le RER A bondé à l'heure de pointe, j'avais fait en sorte qu'il saisisse vite que j'étais d'accord. Mes yeux dans ses yeux lui disaient qu'il pouvait se rapprocher. Encore. Encore. Je n'allais pas faire de scandale, non, non, il me plaisait, vraiment vraiment. Continue à avancer ainsi vers moi, vers mon corps qui t'attend, qui s'impatiente, vers mes fesses même si tu veux.

Antoine avait suivi mes encouragements et, très coquin, avait chuchoté directement dans mon oreille : Je te commence par où ? Et je te termine par où ? Tu es trop délicieux. Tout en toi est miel.

J'avais bien compris qu'il s'agissait là d'une expression arabe traduite en français. « Kollak aassal. » « Tout en toi est miel. » Quelqu'un d'arabe, quelque part, la lui avait dite, apprise, et Antoine avait enfin, là avec moi consentant, l'occasion de la sortir. Et il avait raison : cela a marché sur moi. Mon sexe fou s'est dressé d'un coup et il m'a fallu placer mes deux mains dessus pour cacher l'érection. Antoine a pris cela comme un signe de son triomphe. Il s'est collé encore plus à moi. Je sentais maintenant aussi son ventre dans mon dos.

Je ne connaissais rien de lui à ce moment-là et, sans presque rien faire, j'avais l'impression d'avoir déjà atteint avec lui une réelle intimité sexuelle. Une entente surprenante, naturelle, entre nos deux corps. Un dialogue secret entre nous qui avait commencé bien avant cette première fois dans le RER A.

Antoine, le policier, a réveillé Mounir l'adolescent dans le bus. Mounir désespéré à presque 40 ans, sur le point de sombrer dans la solitude définitive et dans le No future en France, gardait en lui vivant, tellement, cet ancien épisode de sa vie. Soufiane. L'homme des ministères à Rabat. Son costume. Sa cravate. L'odeur de son sperme.

Je n'avais rien oublié. Non.

La capacité d'aimer, de se mettre en danger quand l'occasion se présente, était intacte en moi.

Je n'étais pas étonné de vivre de nouveau semblable aventure, à Paris et dans le RER cette fois-ci. Je n'étais pas surpris le moins du monde d'avoir devant moi, en moi, cet instant que, au fond, j'attendais depuis très longtemps.

L'amour qui commence par le sexe et par le danger.

L'amour qui, ignorant tout de vous, se fichant complètement de qui vous êtes, vous élève jusqu'au 21e ciel et, juste après, vous fracasse sans pitié.

Comme Soufiane, sans le sortir de son pantalon, Antoine a mis son sexe dressé entre mes jambes. Je l'ai accueilli comme on accueille un ami tendre à qui on pardonne toutes les maladresses, tous les petits crimes.

Quand le RER s'arrête à une station, Antoine se retire. Les portes se referment. Le train roule, prend de la vitesse. On se retrouve. On se remet ensemble. On s'aime dans une chorégraphie précise et harmonieuse. Sans aller jusqu'au bout des choses, on baise tout habillés, en tremblant, les genoux faibles mais qui tiennent.

Ce n'était pas du sexe, à vrai dire. C'était plutôt un retour à la source. On revient de l'école. Il n'y a personne à la maison. Le copain timide que l'on a ramené avec soi est là. Bloqué et timide à la fois. On lui donne à manger ce qu'il y a. Du pain et du miel mélangé avec de l'huile d'olive ; on mange vite. Puis on va vite au but. Viens. Je viens où ? Viens, fais-moi confiance. Tu es un garçon comme moi, tu ne vas pas avoir peur, quand même. Viens.

Il vient. On ferme la porte. Il faut tout faire, tout finir, en quinze vingt minutes.

Allez. Soyons fous. Soyons nus.

Il n'est plus timide. Il enlève tout. On se met l'un contre l'autre. Sur le tapis qui ressemble à un océan vert.

L'un contre l'autre à se toucher, à se respirer, à s'accrocher à ce qu'on trouve. En silence. Puis : les yeux dans les yeux durant au moins cinq minutes.

L'éternité. La vraie.

Je suis saisi soudain d'une vive curiosité. Sans prendre le temps de réfléchir je me retourne. Mon dos est contre la porte du RER.

Je fais face à Antoine.

On se regarde.

Je le reconnais. Lui aussi, il venait à la station La Défense-Grande Arche. Lui aussi, fuyant je ne sais quoi, il venait là attendre au milieu de la foule anonyme. Lui aussi, il surveillait le monde, l'analysait et se nourrissait de tous ces étrangers qui passaient devant lui.

Je lui souris.

Il est figé. Il fait le Français timide. Il surjoue l'embarras pour avoir le dessus. Mais il n'en a pas besoin. Il faut vite le sortir de là, de cette fausseté, de cette attitude qui va nous séparer.

Le RER s'arrête à la station Charles de Gaulle-Étoile. Je sors. Je remonte dans le RER. Le train est plus bondé qu'avant. Et pourtant ce n'est pas l'heure de pointe. Les signes d'exaspération sur les visages des passagers.

Moi, je n'ai qu'un but : retrouver le ventre d'Antoine. Vite. Vite. Vite. Alors, oubliant le monde, je tends la main vers lui. J'attrape son bras. Je le tire vers moi avec force, avec certitude, avec empressement. Les passagers, étonnés et pris au dépourvu, lui font un chemin et le laissent venir jusqu'à moi.

Il est à moi.

Il est obligé de me suivre. De ne pas trop résister.

On joue aux amoureux.

Le monde autour de nous est un peu scandalisé. C'est visible. C'est palpable. Quelqu'un va dire quelque chose, une remarque, une insulte. Mais non. Rien n'arrive. Les gens sont comme fascinés et veulent voir jusqu'où on peut aller.

Et donc, généreux, Antoine et moi, on se donne en spectacle.

On joue parfaitement les amoureux au début de leur amour. Ils ne se lâchent pas. Ils ne peuvent s'empêcher de se toucher en permanence.

Je mets mes deux mains sur le ventre d'Antoine.

Qu'il est beau, ce ventre. Qu'il est doux. Grand. Bien rond. Bien affirmé. Viril. Presque sacré. Il me donne faim. Il me donne soif. Et il ouvre tous mes autres appétits.

Pour m'aider dans cette entreprise, aller vers un peu plus de satisfaction, Antoine ouvre le manteau noir qu'il porte. C'est une invitation. J'entre. Je me blottis contre lui. Ventre à ventre. Je mets ma tête sur sa poitrine. Il renferme sur nous le manteau.

On oublie le monde. Je ferme les yeux.

Mes mains continuent de se balader tout autour de la taille d'Antoine. Le ventre, les poignées d'amour, le bas du dos, les reins. Je m'arrête là. La douceur, on dirait, a augmenté. Je l'agrippe.

Quelqu'un dans le RER a fini par dire quelque chose.

Ce n'est pas un sauna gay ici.

Un peu de tenue, les pédés.

Je ne fais pas attention. Antoine non plus. Rien ne peut arrêter ce rêve. Le monde n'existe pas. Le monde c'est nous. Nous en public. Les autres ? C'est quoi les autres ?

Je sors de mon être bien élevé, de ma peau de citoyen bien comme il faut, je sors du personnage de l'immigré arabe bien intégré que je suis censé représenter à Paris.

Pédés, oui, et on vous emmerde.

Pédés, oui, et on n'a aucune intention de se faire soigner.

Je n'ai dit aucun de ces mots. Je les ai pensés et vite oubliés. Il fallait rester fort et concentré pour accueillir la tendresse et ses fantômes.

À travers Antoine, je retrouvais d'un coup Soufiane et ce que je n'avais pas réussi à l'adolescence. Là, dans ce RER de banlieue, dans ce territoire nouveau, je comptais bien l'accomplir. Aller jusqu'au bout. Forcer le destin. Forcer l'amour. Forcer le cœur d'Antoine. Faire de ce petit moment un instant d'éternité.

On était deux. Avec le souvenir vivace de Soufiane, on est trois à présent. Un peu plus tard avec la patronne de la boulangerie-pâtisserie La Clé du Paradis, on sera quatre. Ensemble. Tout est vivant en nous. Malgré les obstacles et les contradictions, tout est libre, pour de vrai. Tout est audace. Jouissances scandaleuses. Pas de prison, pour personne. Nulle soumission.

L'amour est là. Il est là.

Par la bouche d'Antoine, Soufiane dit qu'il regrette. Il n'a pas pu venir le lendemain au rendez-vous qu'il m'avait donné. Il était pris par son travail au ministère de la Communication : le roi Hassan II allait venir ce jour-là en visite-surprise au cabinet. Il fallait tout, absolument tout, bien préparer. Tu connaissais ce roi autoritaire, toi aussi, Mounir, et tu sais de quoi il était capable. Tout le monde tremblait dans les bureaux. On aurait dit que c'était le jour du Jugement dernier. On l'attendait avec une impatience froide, le roi. On savait que quelqu'un parmi nous allait payer, se faire virer ou bien, s'il avait de la chance, se faire seulement maltraiter. On a attendu le matin. On a attendu l'après-midi. On a attendu le soir. Et pendant ce temps tu attendais à côté du cinéma La Victoire. Tu m'attendais. Crois-moi, Mounir, je voulais venir. Mon cœur voulait partager avec toi l'intimité dans le bus. Mais je ne pouvais pas. Il était déjà 22 heures et Hassan II n'était toujours pas là. Il n'est arrivé qu'à 23 h 55 exactement. Il s'est enfermé avec le ministre dans la salle de réunion. Ils ont parlé pendant deux heures. Il est reparti vers 2 heures du matin sans venir nous voir, sans nous accorder l'occasion de le voir, de baiser sa main, son épaule, sa tête. À 2 heures du matin, tout le ministère était encore là, et la plupart des fonctionnaires n'avaient aucun moyen de rentrer chez eux. Alors, on a passé la nuit là, dans nos bureaux. On a vécu ainsi une des fameuses leçons puériles qu'Hassan II aimait donner régulièrement aux membres de son entourage pour leur prouver qu'il était le chef, le chef absolu, pour voir dans leurs yeux la soumission, la servitude, l'obséquiosité. Je n'avais pas le choix, Mounir. Personne ne pouvait résister à ce roi dictateur. Je n'ai même pas besoin de te le dire, de te le rappeler. Tu le sais. Pardon. Pardon... Tu me pardonnes ?

Je lui ai pardonné bien sûr. Tout dans le corps d'Antoine m'incitait à le faire. Le bonheur amène le bonheur. L'amertume amène l'aigreur. Généreux à cet instant-là, j'ai même pardonné à madame Marty et je me suis promis de ne plus lui faire de reproches. La promesse de l'amour allait me faire tout accepter d'elle. Tout d'elle et de ses pas, boum boum, au-dessus de ma tête jour et nuit. Je me suis même dit que j'allais emmener Antoine dans cet appartement, rue de Turenne. Sa présence, puis, plus tard, le souvenir de sa présence, allait, comme par enchantement, tout dénouer. Plus de conflit avec madame Marty. Plus de conflit avec les voisins. Plus de tensions. Fini les mots durs qui empêchent de dormir.

Le RER s'est arrêté à la station suivante : Nanterre-Préfecture. On est sortis de la gare. Je l'ai emmené aux deux seuls endroits que je connaissais dans ce territoire. Le parc André-Malraux pour marcher et, un peu plus loin, la cité Pablo-Picasso pour qu'il voie la boulangerie La Clé du Paradis, sa bande de filles voilées et sa patronne noire. Boire du thé et manger des gâteaux algériens.

Comment tu t'appelles ?

J'ai pensé enfin à lui poser la question quand on était au bord du lac artificiel dans le parc.

Antoine.

Mounir.

Et on s'est embrassés pour la première fois.

Le parc était vide. Froid. Hivernal. Endormi. Et tellement accueillant. Antoine ne savait pas bien embrasser. Expert, petit enfant plus mûr que son âge, j'ai pris les choses en main. J'ai introduit ma langue dans sa bouche et j'ai cherché le bon angle pour commencer à jouer avec sa langue à lui.

Profond en Antoine, je me sentais perdu et soulagé, surpris par l'enchaînement naturel des événements, au premier instant déjà addict au goût cannelle-citron de sa bouche, à cette géographie buccale que, très curieux, très audacieux, je découvrais avec gourmandise.

Je lui ai appris à danser avec sa langue.

À jouir avec la langue.

Il m'a suivi sans poser de questions.

Plus tard, alors qu'on était en train de sortir du parc, il a dit en souriant : Je sais maintenant par où te commencer les prochaines fois.

Bon appétit, a dit la patronne noire de la boulangerie-pâtisserie. Si vous les aimez, je peux vous rajouter d'autres gâteaux pour moitié prix.

Avec plaisir, a répondu Antoine en me regardant, les yeux rieurs.

Il n'y avait plus de doute pour la patronne, nous étions des gays, officiellement. En plus, on s'affichait sans honte en pleine banlieue parisienne.

C'était une erreur visiblement. La jeune patronne nous regardait et elle avait l'air, malgré elle, un peu choquée. Je voulais m'expliquer, arrêter là, tout de suite, ce malentendu. Lui dire la vérité bien comme il faut. Ne pas la perdre. Mais je n'ai pas trouvé les mots. Que dire et de quoi se justifier exactement ?

Elle n'était pas homophobe. Pas du tout. Elle était jalouse. Elle en avait le droit. Elle se sentait offensée. Et avait plus que raison de l'être.

En amenant avec moi Antoine à la Clé du Paradis, je voulais sûrement faire passer un message, même inconsciemment, à la patronne. C'était cela, l'erreur. J'avais oublié les sentiments sincères qu'elle semblait avoir pour moi. Pire : j'avais été insensible à son égard. Je n'avais pas pensé à elle, à lui épargner ce moment désagréable. Dans cet endroit à nous, j'avais amené un Antoine, un Français blanc qui ne nous comprendrait jamais en rien, à qui il faudrait toujours tout expliquer, notre histoire, notre imaginaire, notre peau.

Une erreur. Une faute politique. Et, en plus, un couteau froid planté très lentement dans le cœur généreux de la jeune patronne noire.

Tu dois t'excuser, Mounir. Les sentiments des gens ont de la valeur. Vas-y, lève-toi, va vers elle et demande-lui pardon. Vas-y, c'est un ordre, je te dis. Elle ne mérite pas ce que tu lui as fait.

La voix encore une fois dans ma tête. La voix de quelqu'un de dérangé, qui a perdu le fil des choses. Qui nage et qui coule. La même voix que celle qui apparaît dès que je suis dans l'appartement de la rue de Turenne, la voix colérique, enragée, que j'entends dès que madame Marty n'est pas loin. Madame Marty qui ne cesse de faire du bruit. Qui veut me rendre encore plus fou. La voix en moi qui prend le contrôle de mes nerfs et de mes mots.

Lâche, je n'ai rien fait.

J'ai continué à jouer discrètement les amoureux avec Antoine.

Une autre fille de la boulangerie a apporté deux gâteaux algériens supplémentaires.

De la part d'Oumayma. Elle dit que c'est cadeau.

Qui est Oumayma ?

La patronne. C'est son prénom. Oumayma. C'est très joli, vous ne trouvez pas ?

3

Turenne

Antoine le policier est devenu inspecteur, Simone. Il a renoncé à l'idée de prendre sa retraite anticipée. Il a repris son travail. C'est lui qui m'a interrogé au commissariat. Lui. Lui.

Antoine dont je t'ai parlé plusieurs fois.

Antoine qui est venu ici trois fois. Et après, à chaque fois, tu m'avais dit que de ton petit studio au-dessus de mon appartement tu avais tout entendu. Les bruits du sexe. Et que cela t'avait empêchée de dormir.

Antoine qui a coupé avec moi du jour au lendemain, qui a disparu comme ça, d'un coup, après seulement trois mois de relation avec moi, incapable d'assumer son homosexualité plus que cela.

Gay trois mois, pas un jour de plus.

Gay libéré. Et puis non, finalement pas gay.

Antoine marié. Trois enfants, trois garçons. Divorcé quand je l'ai connu. Revenu à sa femme et à l'hétérosexualité après avoir goûté au péché avec moi.

Antoine, qui n'aimait plus être flic et qui critiquait avec virulence les systèmes policiers, est à présent un haut gradé de la police française.

Antoine et son ventre, Simone.

Antoine. Antoine a perdu plusieurs kilos. Son ventre. Son visage large, son double menton. Ses poignées d'amour. Il était rond, dodu, avec de la bonne graisse. Il était lent et il ne parlait pas beaucoup. Il était perdu mais vivant. Il ne connaissait rien à l'homosexualité mais était prêt à évoluer avec moi.

Antoine est mince maintenant. Pire : il est maigre. Si maigre, Simone. Si maigre comme tant de ceux qu'on croise dans notre quartier.

Quelle catastrophe ! C'est un autre. Sans sel. Sans sucre. Sans épices. Il ne touche plus au miel. Il a vieilli. Il est sec. Il fait du sport. De la gym intense dans les Club Med.

Antoine au commissariat… Antoine a fait semblant de ne pas me reconnaître. Comment est-ce possible ? Il m'a oublié ? Il a oublié vraiment ?

Je suis sûr que c'est lui, le vrai Antoine que j'ai connu et que j'ai aimé. Tu me crois, toi, Simone ? Oui, tu me crois. Oui. Je sais que je n'ai plus toute ma tête mais quand même, ça ne s'oublie pas comme ça, si vite, un amour pour un policier français, un amour pour un Arabe comme moi. Ça ne s'oublie pas. Ce n'est pas possible.

C'était lui, l'inspecteur.

Il n'a fait aucun signe. Il n'a rien dit. Il a posé les questions avec froideur, avec une autre voix que je ne lui connaissais pas. Il me regardait comme un James Bond français. Comme un professionnel convaincu par l'idéologie de son pays. De l'Occident.

Je voulais mourir, Simone. Mourir là d'un coup devant lui.

Ses yeux, Simone. Mon Dieu. Ses yeux étaient remplis de vide, de sentiments vides. Ses yeux m'ont fait douter. Il y avait de la méfiance dans ses yeux. De la distance. Du reniement. Du rejet. Du racisme.

Je suis un présumé terroriste à présent pour lui.

Pour lui aussi.

Tu te rends compte ? Tu te rends compte, Simone ?

J'ai pensé à toi pendant qu'il m'infligeait son interrogatoire, sa torture. Et je te demandais pardon.

Pardon. Pardon. Pardon.

Simone, tu es la seule personne avec laquelle j'ai des rapports vrais et entiers en ce moment en France. Avant qu'il ne soit trop tard, avant qu'ils ne viennent m'emmener moi aussi dans je ne sais quelle prison, il faut que je te dise tout.

Dans un bureau qui ressemble exactement à une cellule de prison, Antoine m'a infligé une grande humiliation. Ce n'était pas de l'évitement, ce n'était pas de la vengeance, non, c'était un regard qui vient de loin et qu'on ressort pour les types comme moi en France. Une façon d'être, une manière de vous parler, de vous déconsidérer et de vous rabaisser. Il était comme ça, Antoine, avec moi lors de cet interrogatoire.

Il est passé de l'autre côté. Il est le représentant du pouvoir. Et il me pose des questions. Il me regarde et il ne me reconnaît pas.

Il ne me reconnaît pas. Je deviens fou. Je deviens fou.

Tu me crois, Simone ? Mon cœur me pousse plus que jamais vers toi. Tu es comme ma mère. Je le vois maintenant. Je le vois.

Ça recommence. Ça recommence ici aussi en France, Simone. Tu dois le savoir, ce qui m'arrive.

Je n'ai personne d'autre que toi, Simone. On se dispute, on se balance des mots durs, on s'empêche de vivre, de dormir, de marcher, toi et moi. Mais tout cela, ce lien réel, je l'ai compris devant Antoine, inspecteur froid, n'a pas de prix. C'est la vie même. Tu n'es pas une Parisienne indifférente, toi. Tu te soucies encore des autres. De moi. Je le vois si clairement. Tu n'es pas raciste. Tu n'es pas avec les autres. Tu n'es pas distante. Tu n'es pas du même monde qu'eux. Tu m'as donné. Pendant trois ans, tu m'as donné la vie. Une vie empoisonnée parfois, mais c'était involontaire de ta part. Ce n'était pas ton intention. C'est ma faute. Ma faute à moi aussi. Je n'avais qu'à aller chez les psychologues et les psychiatres régler mes angoisses, mes névroses, mes folies, mes échecs et mes impossibilités, au lieu de te les faire subir. Ce n'est pas ta faute. Et c'était indigne de ma part de t'infliger mes crises, mes phobies, mon bordel intérieur. Tu as 80 ans quand même. 80 ans. Tu faisais du bruit, oui, du bruit qui me rendait fou, mais ce n'est pas le bruit d'une méchante assumée, d'une mégère cynique. Ton bruit, même dérangeant, est le bruit de la vie de tous les jours. Ce que tu fais, Simone, pour résister à ce monde petit. Des bruits de cuisine, des bruits de pas, le bruit de la chaise que tu ne cessais de bouger et qui me donnait instantanément des crises de panique invraisemblables. Des bruits de ta vie… Je m'en plaignais… Je l'ai dit aux deux policiers que tu as appelés pour venir m'arrêter. Je l'ai dit, tout cela et avec plus de détails, à Antoine. Et au moment même où je le disais, je me suis rendu compte de mon erreur. J'avais tort. J'ai tort, Simone, et je m'excuse. Je m'excuse. Je m'excuse. Trois fois et même plus s'il le faut. Je veux m'agenouiller devant toi et embrasser tes pieds. L'islam dit que le paradis est sous les pieds des mères. Tu es une mère. Donne-moi tes pieds.

Antoine m'a tué. Il croit que je suis devenu islamiste. Un terroriste en devenir. Un Marocain. Tu es marocain, n'est-ce pas...

Cela voulait tout dire dans sa bouche. Marocain. Prononcé de la même manière que par les journalistes des chaînes d'information quand il y a des attentats. On parle des auteurs présumés en précisant leur pays d'origine. Ils étaient français. Ils sont français. Ils deviennent des Marocains. Des Algériens. Des Syriens. Des Tunisiens.

Mounir ne sera jamais français. On ne lui accordera jamais cette belle nationalité.

Tu te souviens, Simone, de cette fois où je suis venu te parler de mon idée de demander un jour la nationalité française ?... C'était il n'y a même pas deux ans.

Tu seras comme nous, tu as dit. Bienvenue dans ton nouveau pays.

Comment ai-je fait pour oublier tout cela, cette gentillesse, ces attentions, et te rendre la vie dure ces dernières semaines ? Sans honte te crier « Les cimetières ce n'est pas ce qui manque à Paris » ? Pourquoi ai-je détruit le seul lien humain véritable qui me restait pour ne pas sombrer complètement dans la solitude parisienne, dans la froideur parisienne ?

Ce n'est pas toi la responsable, Simone. Crois-moi. Et pardonne-moi.

Antoine m'a trahi trois fois.

Je croyais que, avec lui, l'amour allait se produire et se poursuivre. Un homme avec qui tout accepter, même son autre existence, sa femme et ses garçons. Après tout, la vie est plus grande et plus libre que toutes les catégories et toutes les identités modernes. Je peux sortir de moi et me mélanger aux autres, même ceux qui a priori ne m'acceptent pas. Je peux me nourrir de ce qui ne me concerne pas. Je ne veux pas que tu négliges les autres, Antoine. Je ne veux pas être un pédé sectaire. Entrons tous dans une histoire plus large, plus généreuse. Tes enfants sont encore jeunes, des adolescents, va les voir. Et, si tu te sens prêt, tu peux me les présenter. Je suis ouvert à tout cela. Il y a autre chose que le ghetto gay. D'ailleurs, comme tu peux le voir, son nom indique bien ce qu'il est : un ghetto. Rien d'autre.

Le miracle était à portée de main. Mes doigts l'effleuraient. Antoine semblait d'accord. Ravi de me voir très vite impliqué. Ravi de constater que parler de Jules, Samy et Louis, ses garçons, ne me dérangeait pas du tout. Quand il est parti après trois mois seulement passés avec moi, il m'a aussi privé de toutes ces possibilités de vie. De cette ouverture. Je suis revenu à ma case de départ. Aigri et errant dans Paris sans aucun goût. Vivant sous les pas et le bruit que tu faisais en permanence, Simone.

Je m'en suis tellement voulu de te l'avoir présenté, Simone. Tu te souviens de comment il était physiquement ?

Une plage de sable chaud où se jeter nu, où jouer libre, presque innocent. J'aimais tout dans son corps. Même sa blancheur extrême, même ses tics étranges, énervants parfois, et les ronflements qu'il faisait la nuit.

Quand il m'a largué, tu vois, je suis devenu plus fou que d'habitude, plus insupportable que d'habitude.

Il a fallu si vite lui dire adieu. Adieu à lui et au monde avec lui.

L'appartement si vide, sans meubles, était devenu un endroit de fantômes que j'étais le seul à voir. Avec lesquels j'étais le seul à parler. Il fallait en plus les nourrir, les guérir, les cajoler, les supplier, trouver un compromis impossible avec eux.

J'avais honte devant toi, Simone.

Tu es l'unique témoin de cette histoire. De cette dernière chance.

Je sais que tu te dis que pour l'homme de 40 ans que je suis, il y a encore des portes à ouvrir devant lui. Tout n'est pas encore fini. Il ne faut pas s'enfoncer dans le drame ni le désespoir.

Je ne suis pas d'accord, Simone.

Tout est merdique. Moi. Tout au fond de moi. Merdique, le monde. Merdique, le décor, de plus en plus virtuel, de ce monde, merdiques, les gens. Tous. Tous. Ils sont devenus méchants. Ils avancent dans le mal sans vouloir le reconnaître. Ils se méfient. Ils sursautent. Ils rejettent sans culpabiliser l'autre, les autres. Dans le métro, c'est pire, de leurs yeux ils vous assassinent.

Où aller ? Où aller, Simone ?

Je te parle. Tu m'entends ? Tu comprends ? Tu vas me pardonner ? Tu as préparé de la soupe pour moi aussi ?

Il est 21 h 30. Je suis sorti du commissariat. Je remonte la rue de Turenne. Je vais bientôt passer devant la statue de Turenne enfant. C'est vide. Tout est mort. Tout est fermé. Les dernières boutiques de costumes pas chers qui appartenaient aux vieux juifs séfarades n'existent plus, elles sont devenues des concept stores. Tout est tamisé. On dirait qu'on est dans une histoire de science-fiction. Ce qui faisait la vie comme avant a disparu. C'est remplacé par quelque chose de trop chic. International chic. Même pas le vieux chic à la française. Non. La France est en train d'être colonisée à son tour.

Je marche. Je marche. Mais notre immeuble a l'air de s'éloigner, comme s'il ne voulait pas de moi, lui non plus. Comme s'il avait reçu un ordre contre moi.

Mais où est-il à la fin, cet immeuble ?

J'ai dépassé la statue de Turenne enfant. Je vois déjà là-bas, à gauche, le chocolatier Jacques Genin. Il y a quelque chose de pas normal qui se produit. Notre immeuble n'est plus là. On dirait qu'il s'est volatilisé.

Nous habitons bien au numéro 107, Simone, non ?

Tu m'entends ? Tu dors ?

Qu'est-ce que je fais ? Qu'est-ce qui m'arrive ? Je ne reconnais plus le monde. Le 107. Où est le 107 ?

C'est incroyable. C'est impossible. Il s'est évaporé. On saute directement du 105 au 109.

Je ne comprends pas. Je vois. Je vois. Je ne rêve pas. Plus de 107. Aucune trace.

Simone, tu es où ? Madame Marty, tu es vivante ? Réponds-moi, s'il te plaît. Guide-moi. Donne-moi la main. Reviens. Reviens. Je n'ai que toi. Je m'excuse pour tout ce que je t'ai fait, pour tout ce que je t'ai dit. Je ne veux pas de cette disparition. De cette mort. Où est le 107 à présent ? Dis-le-moi, Simone. Parle-moi.

Qu'est-ce qui se passe ?

Suis-je toujours dans la réalité, la même réalité que j'ai laissée derrière moi en allant à l'interrogatoire, au commissariat ? Et l'inspecteur, c'était Antoine, vraiment Antoine, Antoine dans une nouvelle peau ?

Je ne sais plus. Je suis en moi et en dehors de moi. Devant l'impossible. Je passe directement du 105 au 109, rue de Turenne.

Où est le 107 ? Où est le 107 ? A-t-il seulement jamais existé ?

J'ai faim. J'ai soif. J'ai froid. Je tremble.

Tout est calme. Tout est vrai. Tout est trop silencieux. Quelqu'un là-haut a coupé le son. Une catastrophe va advenir, est déjà en train d'advenir.

Il n'y a plus personne dans le monde.

Il n'y a que moi. Je n'ai pas complètement perdu la tête. Ce que je sens, ce que je vois, cette disparition du 107, me rappelle vaguement un film italien de Michelangelo Antonioni. *L'Avventura*. Non. *L'Éclipse*. J'ai devant les yeux les images habitées par Alain Delon et Monica Vitti. Leur errance nocturne à eux aussi. Le monde ne suffit plus. Il se dérobe. Il nous montre l'envers du décor.

Rien. Rien. Il n'y a rien. La disparition a commencé. Elle va se poursuivre. Rien ne pourra l'arrêter. C'est le début de la fin. Pour de vrai.

J'ai encore le cerveau qui fonctionne. La culture officielle en moi, sans me sauver, vient interférer avec tout ce qui se produit en moi. Des comparaisons. Des analogies. Des interprétations. Des signes par-ci. Des signes par-là. Mais cela ne sert à rien. Je suis juste encombré par cette culture officielle, importante et reconnue comme telle par ceux qui comptent, ceux qui ont le pouvoir.

Elle ne m'aide pas à avancer dans cette nuit, dans cette perte de repères.

Le temps n'est plus le temps.

Je me vois malgré moi dans une forêt filmée par Andreï Tarkovski. *Le Sacrifice*. Son dernier long métrage.

Je me vois dans *Vertigo*, d'Alfred Hitchcock, perdu, obsédé par l'ombre de la mort, fou d'amour pour un être qui n'a peut-être jamais réellement existé. Antoine. Une fiction pure. Une fiction diabolique. Le miroir dans le miroir.

Comme James Stewart dans le film, au bout du désespoir et de lui-même, je crois que je m'apprête à commettre un crime. Je vais pousser quelqu'un du haut d'une tour. Et après, attiré par le vide, sans aucun remords, je sauterai moi aussi. Aimer et tuer.

Antoine d'avant revient à ma mémoire. Je veux le toucher avant de l'assassiner. Retrouver son premier corps, celui du RER A, son ventre qui me calmait, ses poignées d'amour qui adoucissaient l'existence, son visage qui ne cessait de s'élargir et dans lequel je me fondais.

Sa bouche immense pour m'y engloutir.

Il m'a fait du mal, Antoine.

Il me suit. Il me reconnecte avec moi-même. Rêver à deux. Je ne refuse rien du passé. Son passé. Jules, Samy, Louis. Je lui présente madame Marty. Et tout d'un coup, comme un enfant lassé de son jouet, il m'abandonne. Je suis fou alors. Madame Marty en paie les frais malgré elle. Je lui dis des horreurs et des horreurs. Comme elle n'en peut plus de cet Arabe mal élevé, elle appelle la police.

La police prétend découvrir qui je suis vraiment. Mon passé trouble, disent-ils. Des choses à vérifier dans ce passé.

On est après janvier 2015, la police me convoque. Je me défends. Mais je sais que je ne la convaincs pas. Elle me relâche. Elle me convoque une deuxième fois pour un interrogatoire en bonne et due forme.

Là, surprise, c'est Antoine l'interrogateur.

Il fait semblant de ne pas me reconnaître. Il est revenu du côté du pouvoir. Il me renie. Impuissant, je répète devant lui ce que j'ai dit la première fois. Il m'écoute à peine. Il ne me regarde même pas. Une caméra, bien sûr, est en train d'enregistrer ces retrouvailles improbables.

Comment garder toute sa tête devant ce rebondissement ? Le bruit, les bruits sous mon crâne. Les identités qui se brouillent, qui ne signifient plus rien du tout et qui me tuent.

L'amour qui finit et qui revient.

Antoine a dit : Tu sais pourquoi on t'a convoqué encore une fois. On a enquêté sur toi. On sait. Dis tout et on t'aidera. Peut-être. Nous avons des preuves.

Des preuves !

De quoi parlait-il ?

C'est moi, Mounir, c'est bien moi comme tu m'as connu avant. Je n'ai pas changé. Je suis plus fou qu'avant peut-être. Mais c'est cela, ma folie, que tu avais aimé tellement et qui t'avait fait du bien, tellement de bien, tu disais. Je t'ai fait sortir de ta peau, de ta race, de ton coinçage, de ton petit petit monde, de ta détresse, de la solitude qui se renforçait et se durcissait en toi. Tu ne te souviens pas ?

Antoine m'a regardé comme si je venais de fuguer de l'HP, de l'hôpital psychiatrique Sainte-Anne.

Nous avons des preuves contre toi. On ne joue pas avec la sécurité de l'État français. Un de mes collègues te les présentera plus tard, ces preuves. Alors, on se calme. D'accord ? Je ne te connais pas. Je ne t'ai jamais connu. C'est la première fois que je te rencontre.

Ces mots. Ces syllabes. Cette musique. Ce n'est pas possible. Il ment. Il ment.

« C'est la première fois que je te rencontre. »

Il y a quelque chose qui cloche. C'est lui le fou. Pas moi. Pas moi.

Tu me dis « tu » depuis tout à l'heure. Si c'était vraiment la première fois, tu aurais dit « vous ». C'est comme ça en France, la règle.

Cela ne prouve rien du tout. Nous avons contre toi des documents qui établissent, qui affirment sans le moindre doute ce que tu essaies de cacher depuis le premier interrogatoire.

De quoi est-ce que tu es en train de parler, Antoine ? Je suis un terroriste ? Un futur terroriste ? C'est ça ? C'est ça, Antoine ?

C'est ça, Mounir.

Ils ont fini par me relâcher. Tard dans la nuit.

Tu n'as pas le droit de quitter le territoire français. On va te convoquer de nouveau. Bientôt.

La nuit à Paris au retour des beaux jours.

La douceur printanière qui éloigne les gens. La douceur printanière qui m'allège et me guérit momentanément. La douceur printanière qui, même quand je suis triste, me donne envie de danser sur les tubes de mon adolescence au Maroc. Modern Talking. Sandra. Samira Saïd.

Le printemps a transformé Paris en un espace étrange. De la science-fiction pure. La science-fiction comme présent absolu, comme loi stricte et en dehors de toute logique.

Le 107 n'est plus là. Je ne rêve pas.

Tout l'immeuble a disparu, et madame Marty avec lui. Les autres habitants, je m'en fous, ils ne disaient même pas bonjour à l'Arabe que je suis quand on se croisait dans l'escalier. Simone Marty. Je ne veux pas que tout cela finisse sans réconciliation entre elle et moi, sans que j'ai reconnu devant elle mes torts, sans adieux propres, dignes, car qui sait, peut-être que, comme certains le croient, il n'y a rien après, après la mort. Rien. Ni le paradis. Ni l'enfer. Aucun endroit où on se retrouvera pour l'éternité.

Les larmes montent d'un coup à mes yeux.

Je n'ai même pas le temps de comprendre ce qui se passe.

Les larmes dépassent en vitesse ma pensée et mon mécanisme d'autodéfense.

Devant le 107 qui n'existe plus, je vois madame Marty et je pleure. Au-delà de moi et de ma petite existence, je pleure. Déjà un pas de l'autre côté de la raison, de la vie telle que les hommes l'ont construite, je pleure.

Je comprends tout.

Il n'y a plus rien à défendre.

Un système de destruction collective a été enclenché.

On ne peut plus revenir en arrière.

Je suis à l'intérieur de ce système et de ce désir ardent de destruction.

Je me souviens que ma mère est morte il y a cinq ans et que mon père est mort il y a vingt ans.

Vingt ans.

Madame Marty est peut-être morte aujourd'hui.

Le monde est en chute libre. Lâchée par le Soleil, la Terre dans le noir ne tient plus.

Mounir, même criminel, n'est rien. Lui aussi est entraîné dans un système qui, de l'intérieur, le contrôle d'une manière parfaite, implacable.

Il n'y a plus d'espoir. Je veux dormir.

Je me dirige vers la statue de Turenne enfant. Il y a à côté d'elle un double banc public de couleur verte. Je m'allonge dessus, sur le dos.

Les larmes s'arrêtent. Une paix arrive.

Je ferme les yeux, Majdouline est là. Majdouline ma cousine de Bruxelles, la fille de ma tante de Bruxelles, est là. Qu'est-ce que tu veux, Majdouline ? Appelle-moi, Mounir. Tu me manques, Mounir. J'ai besoin de toi, Mounir. Ta tante s'apprête à me sacrifier. Viens me sauver. Viens. Et appelle-moi. Appelle-moi. Je t'ai laissé je ne sais combien de messages ces derniers jours et jamais tu n'as répondu. J'ai même téléphoné à ta voisine, une certaine madame

Marty, qui m'a rassurée. Tu n'es pas mort. Appelle-moi, Mounir. Je suis comme toi. Appelle-moi. Et viens.

Majdouline si jeune et si fragile était si vraie dans sa façon de parler, d'appeler au secours.

J'écarte mes bras pour elle. Elle s'accroche à moi. Je m'accroche à elle. Je renifle ses cheveux. Je sais ce que je dois faire. Je sais.

Il n'y a pas que toi, Mounir. Il y a moi. Majdouline. Majdouline. Majdouline. Tu te souviens de moi ?

J'ouvre les yeux. Il y a juste sa voix en moi. Et l'ordre qu'elle vient de me lancer.

Je suis lucide. Je sors un instant de ma folie et je promets de faire quelque chose. Renouer. Rétablir le lien.

Appeler Majdouline. C'est urgent. Appeler Majdouline. C'est vital. Appeler Majdouline. Elle est comme moi, elle dit.

Pas le même sang. Pas la même origine. Mais cousin-cousine. Frère-sœur.

N'oublie pas, Mounir. N'oublie pas.

Je n'oublierai pas, Majdouline. Je viendrai accomplir ma mission auprès de toi et découvrir tout le reste.

Je n'oublierai pas.

Devant moi, surélevé, il y a Turenne enfant. Je le vois de dos. Je le regarde avec lassitude et fatalisme. Il se tient fièrement. D'une manière féminine. La main gauche placée sur le bas du ventre lui donne une attitude précieuse. La jambe droite est inclinée. Le pied droit, triomphant, est posé sur un carquois rempli de flèches.

Il a l'air tendre, sensible et androgyne.

Mais à sa main droite, menaçant, il tient un sabre immense. Et cela change tout. Qui s'apprête-t-il à frapper, à punir sévèrement ? Sur mon banc, je pense dans les détails à ceci : Durant la nuit, Turenne va descendre de sa statue et venir à moi pour me couper la tête très lentement. Une caméra invisible filmera la scène. Une scène que je ne verrai jamais.

Il est chez lui, Turenne enfant. Au XVIIe siècle, il a été un grand cavalier, un général de l'armée de Louis XIV.

Et même un héros national. La rue de Turenne est ainsi nommée pour l'honorer. Il y a habité longtemps, dans un hôtel particulier.

Tout cela, c'est pour plus tard.

Ce soir, il est encore un enfant. Je suis plus âgé que lui. Je vais dormir sous sa protection. Sous la menace de son sabre.

Je regarde son dos, son costume d'époque, ses souliers sophistiqués. Je m'attarde sur ses jambes qui me paraissent longues, trop longues. Un défaut nécessaire dans la fabrication de la statue pour attribuer à l'enfant plus de grandeur, le rendre plus impressionnant. Mais quand même, elles sont trop longues ces jambes. Et les pieds, ce ne sont pas les pieds d'un enfant. Non.

Je laisse mon esprit voguer à l'intérieur de ces idées futiles, construire un discours qui se veut intelligent et qui est en fait vide.

Je continue comme ça, à rêvasser, à dériver, à oublier, à éloigner les angoisses, les crises, la folie, ce qu'est ma vie en France.

Turenne enfant soudain tourne sa tête vers moi. Il sourit. Je réponds instantanément à son sourire. Deux écoliers qui se croisent pour la première fois à la récréation et qui deviendront de bons copains.

Il laisse tomber son sabre. Il descend du socle où il se tient debout jour et nuit depuis je ne sais combien d'années.

Cela ne me surprend absolument pas. Après tout, j'ai bien dû constater la disparition du 107. Fatigué, plus rien ne m'étonne. Je me dis même que, puisqu'il se tient là en permanence, Turenne enfant a dû voir quelque chose. C'est lui qui va résoudre cette énigme.

Je lui pose la question.

Je n'ai rien vu. Le 107 est derrière moi, je ne le connais pas. Je n'ai devant moi que les immeubles à partir du numéro 98. Je suis désolé.

Je ne l'entends pas. Je suis en train de partir. Je m'enfonce sans angoisse dans le sommeil. La présence de Turenne enfant, quelque part, me rassure. Je me relâche. J'oublie petit à petit que je suis dans la rue. J'oublie tout, même le Maroc, même Antoine et ses trahisons.

Tu as pris ma place. C'est là que je dors d'habitude. Mais ce n'est pas grave. Je vais prendre l'autre côté du banc.

Pardon.

Je te pardonne. Mais pour cela il faut que tu chantes pour moi quelque chose qui m'aidera à oublier le froid et la solitude que l'on m'impose ici depuis trop d'années. J'en ai marre. J'ai fait le boulot au XVIIe siècle, je suis mort, puis soudain au XXe siècle, je ne sais pas ce qui leur a pris, ils m'ont fait revenir à la vie dans cette statue. Et en plus dans la rue où j'ai habité, pas loin de ma maison qui n'existe plus. Ils croient que je me sens chez moi parce qu'on m'a figé dans ce monument et dans cette rue à laquelle on a donné mon nom. Même pas mon vrai nom. Mon nom de célébrité. Mais je n'ai rien demandé, moi. Je ne comprends rien à ce monde d'aujourd'hui. Et toi ?

Moi non plus. Dors. Laisse-moi dormir.

Tu chantes ?

Tu insistes... En français ? En arabe ?

Comme tu veux... Comment tu t'appelles ?

Mounir. Marocain à Paris.

La langue que tu veux, Mounir.

Je cherche dans ma mémoire lointaine. Qu'est-ce que j'aimais quand j'avais le même âge que Turenne enfant ?

Un feuilleton égyptien très mélodramatique, *Le Miel et les Larmes*, s'impose d'un coup à moi. Je me mets aussitôt à fredonner la chanson du générique. Elle est encore là, intacte, en moi. Le temps n'a pas bougé. Je ne le savais pas.

Le chanteur Mohamed El Helou chante comme si c'était la dernière fois. Je fais comme lui.

Sous le même soleil
Sur la même terre
Nous courons tous après le même mirage
Nous sommes tous de la même mère
Du même père
Du même sang
Et pourtant nous vivons tous dans l'étrangeté
Pourquoi devenir des étrangers dans ce monde étrange
Pourquoi accueillir tout avec doute et suspicion
Si nous vivons avec clarté et bonnes intentions
L'étoile du rêve lointain apparaîtra proche

Dans le temps de l'étrange nous avons tourné
et tourné
Le vent nous abandonne, un autre vent frappe
nos poitrines
Mais tant que nos cœurs seront pleins d'amour
Chaque coup de vent ici renforcera nos racines
Nous sommes tous de la même mère
Du même père
Du même sang
Et pourtant nous vivons tous dans l'étrangeté

Quand je me suis réveillé le lendemain matin, très tôt, Turenne enfant était déjà revenu à sa place. Sur son socle. Dans la matière de son corps, le fer. Et il avait repris son sabre à la main droite. En situation de guerre. Prêt, toujours, pour le combat. Défendre son pays. Vénérer son roi Louis XIV. Devenir un héros. Une légende. Puis un nom de rue dans un quartier parisien chic, froid et endormi.

À côté de moi, sur le banc, quelqu'un d'autre l'avait remplacé. Une femme.

Cela ne m'a pas du tout surpris.

Je me suis levé et je me suis mis à l'observer, à la regarder dormir profondément, paisiblement, la bouche ouverte.

Elle était vêtue d'un short très court de couleur verte et d'un haut rouge, à bretelles, sur lequel était imprimée l'image de la chanteuse Rihanna, fermant les yeux elle aussi. Aux pieds, elle avait des sandales à talons blanches.

Elle n'avait pas de sac à côté d'elle. Ni, visiblement, de téléphone portable sur elle ou bien dans l'une des deux poches de son short.

Elle n'était pas française. Elle était chinoise. Une prostituée chinoise du quartier de Belleville, très maquillée, perdue, abandonnée, en fuite, dans la rue de Turenne.

Le monde était encore plus vide que la veille. Comme si d'autres Parisiens avaient entre-temps abandonné leur ville, leur monde.

Paris est déclaré « ville ouverte ». L'invasion peut commencer.

À regarder les façades des immeubles et les volets aux fenêtres, rien n'a changé entre l'année 1940, le début de l'occupation par l'Allemagne nazie, et aujourd'hui.

Quelque chose de trouble, d'inquiétant, de lâche, de criminel, est en train de se préparer. Quelque chose de pourri depuis trop longtemps déjà va surgir à la surface. S'imposer à tous.

Des millions de personnes innocentes vont mourir.

Il est 6 h 30 du matin. Paris est déclaré « ville ouverte ». Je me dirige vers une boulangerie, celle en face du chocolatier Jacques Genin, qui ouvre très tôt. La première.

Le boulanger qui me sert est noir. Grand, beau, fier et noir. Son patron n'est pas là. Toute la boulangerie est à lui ce matin. C'est lui le chef. Il est heureux. Il me sourit. Il me tend deux croissants nature et deux petits pains au chocolat.

Au moment où je m'apprête à partir, sans rien dire il rajoute dans le sachet un troisième croissant. Petit cadeau de la maison.

Je souris grand, je paie et je repars.

Je me dirige vers Turenne enfant. Lentement. Mon esprit est clair. Je me sens bien. Le monde est vide. Paris est à moi. Je sais ce qu'il me reste à faire.

Sauver ma peau, une seconde fois.

Paris. Quitter le beau pays.

La première fois, c'était au Maroc, quand il m'avait fallu inventer un personnage pour empêcher les hommes frustrés de mon quartier de continuer à me violer en toute impunité. Sans sortir de ma ville, Salé, je me suis exilé. Je me suis tu. Je suis devenu un autre que je ne connaissais pas. Un autre que je suis encore aujourd'hui.

Là, rue de Turenne, un matin du mois d'avril, je prends cette décision : quitter Paris. Aller en banlieue. À Nanterre peut-être. Là où jusqu'à la fin des années 1970 on logeait les immigrés maghrébins et leurs familles dans des bidonvilles qui n'avaient rien à envier à ceux de Casablanca.

Retrouver dans ce territoire la Clé du Paradis. Sa bande de filles fortes et voilées.

Retrouver la boulangère noire. Oumayma. Son amour. L'accepter. Essayer. On ne sait jamais.

Peut-être qu'il n'y a pas que l'homosexualité en moi.

Sortir de tous les territoires.

Il n'y a pas de beaux pays. Nulle part. Je le sais maintenant. La tête retrouvée, l'esprit clair, je le sais et je le vois.

La prostituée chinoise endormie sur le banc elle aussi doit le savoir. Paris ne lui donne pas la liberté. Paris ne lui offre que ça : des clients et des clients – des hommes desséchés à qui elle tente de donner un peu de vie –, et de l'argent pour rembourser ses dettes ici, nourrir là-bas très loin, en Chine, sa famille.

Paris ne l'aime pas. Mais elle, elle s'accroche à Paris. La déchéance ici lui paraît plus vivable. Un film français romantique avec Juliette Binoche.

Je la réveille. Elle se redresse. Me fait une petite place à côté d'elle. Je m'assois. J'ouvre le sachet. Je lui donne un croissant. Je prends un pain au chocolat.

Nous mangeons. Vite. C'est très bon. Trop bon.

Je relève ma tête. Je regarde à gauche, de l'autre côté de la rue.

Le 107 est là. De retour.

Madame Marty n'est pas morte.

4

Manon

Elle a disparu de sa vie quelques mois après la Seconde Guerre mondiale.

Madame Marty était une petite fille de 10-11 ans à l'époque, mais elle se souvient encore très bien d'elle, évidemment. De tout d'elle. Tout de sa grande sœur. Tout de Manon. Tout de sa beauté physique. De son air de star, telle une Corinne Luchaire ou bien une Danielle Darrieux. Tout de ses vêtements chers et luxueux. Tout de ses parfums. Tout de ses absences. Tout de sa gentillesse, de son cœur tendre, trouble. Tout de son amour.

Elle avait peur de me parler de sa sœur. Peur que je ne comprenne pas, moi non plus. Peur de se confier, de raconter à un étranger comme moi ce secret, cette honte, ce passé que la France fait semblant encore d'avoir réglé.

De toute façon, l'histoire de ma sœur, tu l'as déjà vue je ne sais combien de fois au cinéma, tu l'as déjà lue dans les livres et les magazines. Il n'y a rien d'original là-dedans. C'est banal même. Et pourtant, je n'en parle à personne. Depuis si longtemps, je pèse mes mots quand le sujet de la Seconde Guerre mondiale est évoqué devant moi. Je la cache encore une fois. Je la cache, Manon. Et j'ai envie de pleurer. Dans ce monde, il n'y a que ceux qui ont le pouvoir qui peuvent parler, et ils savent qu'ils seront entendus. Tu le sais. Les autres, comme moi, on ne les écoute pas. Plus personne ne se souvient d'elle, Manon. Plus personne ne s'intéresse à elle, telle qu'elle a réellement existé. Elle est devenue une figure historique, un cliché, quelque chose de... On fait comme si on avait vraiment et définitivement compris des femmes comme ma sœur, mais non. Pas du tout. Ma sœur a été exclue. Déchue. Éloignée. Poussée vers la mort. Vers un autre territoire. Et personne ne peut comprendre... Mais toi, Mounir, peut-être, tu comprendras peut-être. Tu ne jugeras pas. Tu ne nous jugeras pas, c'est ça ? Tu oublieras ce que tu as lu sur ce sujet et tu m'écouteras, c'est ça ? Il y a leur histoire officielle et il y a aussi mon histoire, l'histoire de Manon. Toi, tu viens de loin, et confié à toi, mon secret restera loin. Tu ne me trahiras pas.

Il n'y a rien d'extraordinaire dans ce que je vais te dire sur Manon. Rien. Rien. Mais plus les années passent, plus la fin se rapproche, plus j'ai envie de la ressusciter. De ne plus avoir honte. Devant toi, fini la honte.

Tu comprends, Mounir ?

Sans elle, sans ce qu'elle a fait pendant l'Occupation avec les Allemands, je crois que je ne serais pas là, devant toi, vieille et vivante, Mounir.

Sans Manon, il y a juste l'attente vaine. Des promesses qui ne se réalisent pas. Le temps et l'espace qui se déforment. La vie lente. Interminable. Qui ne signifie plus rien.

Nous vivions pas loin de Paris. Dans le village de Saint-Loup-de-Naud. Je ne me souviens pas de la guerre, à vrai dire, quand je vois des images à la télévision j'ai l'impression que l'on parle d'une chose que je n'ai pas vécue. Quand on évoque la guerre, je sais tout de suite ce qu'on finira par dire sur des femmes comme ma sœur. Alors, je ferme les oreilles. Je ferme les yeux. J'ai envie de partir. Je pars. Je pars. Je prends la main de ma sœur. Manon. Manon. Je suis là. Je suis avec elle à Paris pour la toute première fois de ma vie. Nous marchons dans les couloirs sombres et frais du métro, sous la terre. J'ai peur et je n'ai pas peur.

Nous sortons. Le monde revient, pas comme je le connais. Je vois le ciel et je vois le soleil. Manon me dit : Ça, c'est l'Opéra. Dis-le. L'Opéra. Et derrière, il y a de très grands magasins, c'est là que je t'emmène, Simone. Je te suis, Manon. Je te suis. Tiens bien ma main, ma petite Simone, ne la lâche jamais. D'abord, on mangera des glaces dans un grand café. Tu es contente ?

Je sais. Je comprends. Elle fait quelque chose de mal, de dangereux, elle va le payer cher, très cher, un jour.

Comme nous, les voisines au village l'aiment malgré tout. Quand Manon s'absente trop longtemps, elles me demandent toutes quand elle va enfin revenir. Elle leur manquait, j'en suis sûre. Elles aimaient voir ce qui avait changé chez elle à chaque fois qu'elle réapparaissait. Une forme de sophistication féminine qu'elles ne pourraient jamais avoir, elles. Une audace incroyable. Un instinct de survie suicidaire. Et quelques denrées alimentaires introuvables dans notre village.

Manon a été une reine. Cela a duré cinq ans. Pas plus. Ce qu'ils lui ont fait après était atroce. Je ne leur pardonnerai jamais. Manon était la vie. La vie était Manon.

Ce n'est pas de sa faute si l'énergie de sa jeunesse a été la plus forte. Elle n'a pas pu résister. Ni faire la résistante.

Résister à quoi, d'ailleurs ? À son désir de faire l'amour ? À sa capacité de rendre les choses légères dans une époque où tout s'effondrait autour de nous ? Résister aux hommes et à tout ce qu'elle pouvait obtenir en étant avec eux sans totalement leur appartenir ?

Pendant des années, j'ai réfléchi à tout cela, Mounir. À ce que la vie offrait à Manon ou, plus exactement, à ce que ces années ont fait d'elle.

Manon avait 22 ans. C'est tout. 22 ans. Et quand la guerre s'est terminée, 26.

Qu'est-ce qu'on est à 22 ans ?

Et pourquoi ils lui ont rasé la tête en 1945 ? Pourquoi ?

J'étais là. Ils ont été horribles avec elle. Ils l'ont amenée au milieu de la place du village. Devant une foule hystérique, ils lui ont enlevé tous ses vêtements. Tous. Tous. Manon était nue. Même pas une culotte. Et ils lui ont coupé les cheveux. Rasé la tête. Complètement. Et après ils l'ont fait s'agenouiller.

Les hommes sont passés devant elle et lui ont craché sur le visage. Tous, ils ont craché.

Manon n'a pas essuyé les crachats. N'a pas pleuré non plus. Elle est restée froide. Comme si ce n'était pas elle à qui on faisait vivre ce calvaire.

Les voisines qui l'aimaient n'ont rien pu faire. Je voyais dans leurs yeux qu'elles n'étaient pas d'accord avec tout cela. Dans le village, certains hommes avaient commis des choses pires et à eux, pourtant, on ne faisait rien.

Les femmes toujours paient pour tout.

Manon n'a pas pleuré. Moi, oui, j'ai pleuré. Comment ne pas pleurer, Mounir ?

Je voulais aller vers elle, l'aider à se relever, à rentrer chez nous, lui dire que moi, non, je n'avais rien contre elle. Notre mère m'en a empêchée.

Notre mère, le lendemain, a eu une crise d'épilepsie et elle a failli en mourir.

Notre mère adorait Manon mais elle n'a rien fait, elle non plus. Il ne fallait pas, j'imagine, les rendre encore plus fous, ces hommes qui jouaient les justiciers. Qui jouaient aux justiciers. Il fallait juste sauver la vie de Manon.

Sauver la vie. Notre vie. Pas seulement celle de Manon. Sauver les années qui allaient venir pour nous, avec ou sans Manon.

Faire la pute avec les Allemands était visiblement le plus grand crime perpétré en France pendant l'Occupation. Avant de régler les autres problèmes de l'après-guerre, d'abord punir ces femmes qui avaient apporté le déshonneur. Faire d'elles un symbole. Les rabaisser, les humilier, les tuer pour laver l'honneur de la France.

On est rentrées à la maison.

Manon, elle, on l'a obligée à rester là tout l'après-midi et une grande partie de la nuit.

Nue. Agenouillée. Exposée sur la voie publique comme certains exposaient les têtes coupées de leurs ennemis aux portes des villes.

Nue. Seule. 26 ans.

Ils auraient dû la liquider, avait dit le père.

C'est tout ce qu'il avait dit.

Vers 3 heures du matin, ma mère m'a réveillée et on est allées donner à manger à Manon.

Puis, comme saisie soudain d'un courage inédit et inouï, ma mère l'a relevé et m'a ordonné de l'aider à ramener cette sœur tant aimée chez nous.

On l'a lavée en faisant le moins de bruit possible. Et on l'a installée dans ma chambre, dans mon lit. Ma mère a apporté un matelas, l'a mis par terre et m'a dit : Tu dormiras là, tu veilleras sur elle, empêche-la de mourir.

Manon risquait de mourir, oui. Mais pour quel crime exactement ?

Aujourd'hui encore je me pose la question. Ce n'est pas elle qui a tué les juifs. Ce n'est pas elle qui a déclaré Paris « ville ouverte » et laissé les nazis occuper la capitale. Ce n'est pas elle qui a abandonné la France et les Français. Ce n'est pas elle qui a réellement trahi.

Elle n'avait fait que survivre. Survivre en couchant avec l'ennemi. Oui. D'accord. Mais elle était loin d'être la seule. Des milliers d'hommes et de femmes avaient fait comme elle : se dévêtir devant les Allemands pour peut-être mieux leur résister. Vendre leur corps aux Allemands pour avoir de quoi manger. Malgré eux, succomber au charme et à l'érotisme indéniables se dégageant des soldats allemands qui se baladaient partout dans Paris. Jouir et fraterniser avec les Allemands. Dans le sexe, par le sexe, oublier le monde devenu si compliqué et auquel on ne comprenait plus rien. Un instant. Rien qu'un instant.

Tu comprends ce que je dis, Mounir ? Toi-même, tu es tombé amoureux d'un policier français. Ce n'est pas par hasard. Depuis 2015, la police, les militaires et les vigiles très armés ont transformé Paris, la France, en une nouvelle zone de guerre. Pour nous protéger, disent-ils. De quoi exactement ? Des terroristes et des djihadistes islamistes ? Vraiment ? On les voit partout, ces flics et ces soldats. On les croise partout. On ne peut se retenir de les observer, de les admirer, de rêver d'eux, j'imagine. Et, également, d'avoir peur d'eux. Surtout les gens comme toi. Les Arabes. Et pourtant, comme Manon, tu as trouvé le moyen de détourner la menace, d'éloigner l'ennemi et ses regards noirs. L'amour. L'érotisme. La séduction. Tu l'as fait. Tu as été plus intelligent qu'eux.

Manon va mourir.

Manon, ma sœur adorée, belle comme une star, encore fraîche comme de l'eau de rose, va mourir.

Manon est perdue.

Je vais tout faire pour la ramener à nous, à moi, à cette vie entre nous.

Je n'oublie rien de ce qu'elle a fait pour nous. Toute la famille. Je n'oublie rien de cette journée à Paris.

Je suis encore en train de marcher avec elle dans les rues de la capitale. On sort du grand café. On passe derrière l'Opéra. On est devant un immense magasin. Lafayette, ça s'appelle. On entre. On se promène. On oublie la guerre. Ici personne n'est en guerre. Ça achète. Ça essaie des vêtements chers. Ça se parfume. Ça se montre. Ça joue à la séduction. Les messieurs allemands sont beaux, sont grands, le summum de l'exotisme. Ceux qui viennent parfois dans notre village ne sont pas aussi beaux que ceux que je vois ce jour-là aux Galeries Lafayette. Ils n'achètent rien, ces messieurs. Ils se baladent. Fiers de leurs costumes militaires, on dirait qu'ils paradent. Ils jouent. Ils s'offrent aux regards. Les yeux les suivent. Les cœurs peut-être sont charmés par eux, dans l'amour pour eux.

L'amour n'interdit pas l'amour.

Mais Manon ne leur porte absolument aucune attention. Rien de nouveau pour elle dans ce spectacle. Moi, c'est l'inverse. Je regarde et je regarde. Je saisis tout, j'enregistre tout, je n'oublie pas qu'ils sont les méchants, c'est vrai. Puis, au bout de quelques minutes, je l'oublie complètement.

Dans un rayon, l'un de ces beaux Allemands se rapproche de nous et, comme ça, sans introduction, sans gêne, se met à parler avec Manon. Il lui parle en allemand. Elle lui répond en allemand. Cela m'impressionne beaucoup. Je suis presque fière d'elle.

Manon parle allemand.

Mais où a-t-elle bien pu apprendre à le parler comme ça, avec calme et avec certitude ? Où ?

L'homme prend une écharpe bleue avec quelques motifs géométriques rouges et la tend à Manon.

Manon la déplie, la regarde sous tous les angles : l'écharpe est grande et vraiment très très belle.

Manon regarde l'Allemand et lui sourit.

Il va à la caisse. Il paie. Nous l'attendons.

Il revient. Manon sourit encore une fois, mais moins qu'avant. Elle met sa main dans son sac, en sort un bout de papier et un stylo. Elle écrit quelque chose, une adresse sans doute ou alors un numéro de téléphone. Elle tend le papier à l'Allemand. Il le prend. Cela se passe lentement, très lentement. Les mains de l'homme s'attardent un peu dans celles de Manon.

Soudain, il se courbe. Mais pourquoi ?

Il fait le beau, il joue au gentleman : il dépose un baiser, fort, sur la main de Manon.

Manon rit. C'est coquet. C'est coquin. C'est presque une leçon pour moi.

Le rendez-vous est pris. L'Allemand s'en va. Ravi. Il ne marche pas. Il danse.

Manon se tourne vers moi. Elle ne sourit plus. Elle me regarde avec beaucoup de tendresse. Avec beaucoup d'inquiétude aussi.

Elle me serre dans ses bras. Longuement. Elle me relâche et elle dit : Cette écharpe, c'est pour toi. Tu es contente, Simone ?

Je suis plus que contente. Je l'ai encore, cette écharpe. Je te la montrerai plus tard si tu veux, Mounir.

Elle est innocente, Manon.

La survie ne devrait pas être jugée par les lois des hommes. La survie n'a rien à voir avec leur morale. N'a rien à voir avec leurs droits.

Manon va mourir. Après tout ce qu'ils lui ont fait sur la place du village, elle n'a plus sa place parmi nous. Tous lui ont tourné le dos. Même le père. Le père bien sûr. Mais pas maman. Pas moi. Nous l'aimons encore et toujours. On s'en fout de la politique. On s'en fout de ce qu'ils disent à la radio. On s'en fout du général de Gaulle. On s'en fout de leur Libération. Pour nous, dans notre village, pas grand-chose ne va vraiment changer. On reviendra à notre sommeil d'avant la guerre, c'est tout. Le monde traditionnel de la vieille France oubliée.

Manon dit que le père a déclaré que pour sauver l'honneur, l'honneur de notre famille, elle devait se liquider elle-même. Se suicider.

Jamais de la vie. Ton père, il délire. On est là pour toi, pour toi, Manon. On va te sauver.

Maman, Manon et moi, on s'embrasse et on pleure.

On passe la nuit à réfléchir, à établir un plan et à se demander comment l'exécuter.

Manon doit fuir. Partir définitivement. Nous quitter définitivement.

Le monde, libre et libéré, est devenu encore plus étroit qu'avant. Plus dangereux. Plus fou.

Si tu restes en France, quelqu'un, pour je ne sais quelle raison, finira par t'assassiner et il ne sera même pas jugé pour ce crime. Pars, ma fille. Pars, Manon. Pars. Ce pays ne veut plus de toi. Je préfère te savoir vivante et loin de moi plutôt que d'avoir à aller fleurir régulièrement ta tombe dans le cimetière du village. Pars. Tu es encore jeune. Tu es encore belle. Pars et ne reviens jamais.

Le lendemain après-midi, je suis allée à Paris pour la deuxième fois de ma vie.

Maman et moi, nous nous sommes rendues à une adresse du côté de la Bastille. Nous avons mis beaucoup de temps à la trouver.

Nous avons sonné. Quelqu'un a ouvert la porte : nous avons dit que nous venions de la part de Manon. Manon le Diamant. On nous a fait entrer. Nous avons attendu au moins une heure.

C'était une maison de deux étages, avec un très beau jardin. Il n'y avait presque plus de meubles au rez-de-chaussée. J'avais l'impression que quelque chose de très grave avait eu lieu ici, dans les jours précédents. Des règlements de compte sans doute.

Une femme, habillée d'un peignoir transparent très chic, est venue nous voir.

Je me souviens encore très bien de cette dame. Et je revois, là, maintenant, Mounir, sa façon de descendre l'escalier tout en jouant avec son incroyable peignoir.

Elle avait pris tout son temps pour les descendre, les marches. Elle avait l'air d'une reine, une reine déchue mais encore en pleine possession de sa beauté. Ou alors d'une mère maquerelle. Une femme de pouvoir. Une femme de charme. Une femme de la nuit.

Avec maman et moi, elle s'est montrée exquise, mais sans trop parler.

Nous lui avons tendu la lettre de Manon. Elle l'a lue très vite.

Je suis de l'avis de Manon. Elle doit quitter la France. Ce pays est devenu fou. Absolument fou. Moi-même je vais partir. Je vais abandonner tout ce que je possède et partir. Parfois, il faut savoir faire des sacrifices pour de vrai.

Elle s'est levée.

Elle est remontée au 1er étage. Elle a appelé sa servante. Cécile. Cécile l'a rejointe.

Après quinze minutes, peut-être plus, Cécile est redescendue. Elle nous a tendu un sac. On l'a pris.

Faites attention en rentrant. Il y a des choses importantes dans ce sac.

Devant nous, Manon a renversé tout le contenu du sac sur le lit. Il y avait là une perruque blonde, une paire de lunettes de soleil, une montre, des pièces d'argent et surtout quelques bijoux en or.

Elle a été correcte. C'est bien. Elle n'a pas oublié tout ce que j'ai fait pour elle.

Cette dame m'a fait une bonne impression, ma fille. Elle m'a demandé de te dire, Manon, qu'il n'y a que deux pays où tu peux aller : le Brésil et l'Argentine. Elle-même envisage d'aller en Argentine. C'est plus sûr, paraît-il. Et toi, ma fille ?

Moi… Ce sera l'Égypte. Et si ce n'est pas trop sûr là-bas, j'irai dans un des deux pays qu'elle a suggérés.

Elle est morte maintenant, Manon, tu sais, Mounir. Bel et bien morte.

Moi-même j'ai 82 ans. J'en ai vu, des choses. J'en ai vécu, des drames et des tragédies. J'en ai bu, de l'alcool, de l'amertume et du désespoir. Et de la solitude. Mais tout cela, absolument tout cela, n'est rien à côté de ce qu'a vécu ma sœur Manon que j'ai aimée et qu'on m'a enlevée.

Cette douleur. Ici. Une douleur qui vit en moi depuis si longtemps.

La France a eu le cœur dur pour Manon. Elle n'a pas voulu lui pardonner. Elle a voulu la tuer. Vraiment la tuer. Cela aurait pu arriver, tu sais, Mounir. J'avais 10 ans et je me souviens très bien du chaos de la Libération. Du chaos et des trafics qui continuaient. N'importe qui dénonçait n'importe qui. Et c'est la fin, alors. Votre fin. Si vite. Si atroce.

Maman n'a pas supporté la disparition de Manon. Pendant deux ans, elle m'a appelée par son prénom. Manon à la place de Simone. Elle ne pouvait pas s'habituer à cette absence, à cette double absence. La personne et son prénom. Sa fille et le prénom qu'elle lui avait choisi.

Ne plus la voir. Ne plus l'entendre ni l'attendre. Ne plus parler d'elle. Ne plus compter sur elle pour survivre. Ne plus respirer son odeur, ses parfums. Ne plus la voir devant elle, devant nous, ni l'admirer ni la jalouser un petit peu. Écouter ses histoires, ses aventures et ses hommes. Être dans la même maison, la même pièce, la même vie qu'elle.

Je crois que si j'avais été à la place de ma mère j'aurais réagi comme elle. Ne pas accepter. S'enfoncer dans le déni et la rancœur. Chercher à se venger. Mais comment ? En faisant le corbeau moi aussi, nous aussi ?

Arrête de m'appeler Manon, je ne suis pas Manon, je n'ai rien de Manon, je ne remplacerai jamais Manon... Je ne suis pas Manon...

J'ai résisté comme j'ai pu et j'ai fini par comprendre qu'il me fallait faire un effort. Sinon elle allait mourir, maman.

Je suis devenue Manon. Juste le prénom au début. Puis il a fallu jouer le personnage en entier. Maman me demandait de mettre les quelques robes que Manon avait laissées en partant. Je le faisais parfois avec plaisir, parfois avec dégoût.

Je portais ses vêtements. La robe rouge surtout, elle me plaisait beaucoup. J'allumais la radio. Des chansons d'amour en sortaient. Je me souviens de l'une d'elles...

C'était comme un petit show dans un cabaret. Je faisais revenir Manon, son fantôme, et je me lançais.

Le dialogue, alors, entre maman et Manon commençait.

Elles parlaient de choses de grandes personnes. Je n'avais aucun mal à les inventer, à être coquine, à être un peu légère, un peu folle, à faire semblant de me promener au bord de la rivière avec maman, à écouter maman se plaindre de papa, à rêvasser d'une autre vie pour elle et pour nous, à quitter la réalité et pour finir à lui caresser le visage, les cheveux, la nuque et lui masser le dos.

Cela me plaisait de jouer ainsi. De perdre mon identité sans trop savoir ce que c'était, mon identité.

Mais cela m'a fait mal, au fond. Je m'en suis rendu compte beaucoup plus tard.

J'ai vécu pendant des années quelque chose de formidable et d'envoûtant. J'ai été possédée. Je le suis encore, d'une certaine façon.

Dans mon petit studio de 14 mètres carrés, Manon revient. Manon réapparaît. Elle n'a pas vieilli. Pas une ride. Pas une ride. Je la laisse entrer en moi. Parler en moi, avec moi. Faire de la tendresse avec moi. Faire la paix. Faire des reproches à ce monde qui nous a séparées. Pleurer. Pleurer. De manque. De détresse.

Elle dit : Pour eux, je ne suis qu'une traîtresse. Pour eux, je ne mérite pas le pardon et encore moins une nouvelle chance. J'ai bien fait de partir, ma petite Simone. Mais comme tu m'as manqué, ma petite Simone. Tellement. Tellement manqué.

Ils m'ont tous trahie dans ce pays. Pas toi. Pas maman.

Je n'ai pas écrit. Je n'ai pas donné de mes nouvelles. Je suis désolée, Simone. Je ne pouvais pas. Cela aurait été dangereux, très dangereux, pour vous comme pour moi.

Dans cette vie, la beauté semble à portée de main. Hypnotisé, on va vers elle. Puis on réalise que non. Il n'y a plus rien. C'est déjà fini. Déjà fini, Simone. On ne sait pas réellement comment cela est arrivé puisqu'on ne se souvient pas de l'avoir jamais eue vraiment, la beauté, en soi, devant soi.

Elle n'a peut-être jamais existé.

Je n'ai été que de passage, Simone.

Je ne suis pas restée longtemps en Égypte. Il y avait trop d'Allemands nazis qui s'y cachaient aussi.

J'ai erré pendant des années et des années, Simone. J'ai connu des choses encore plus dures. Des années de peur. La peur. La PEUR.

J'ai pris je ne sais combien d'identités. J'ai fini ma vie au Paraguay. C'est tout, ma petite Simone. C'est tout.

Pendant longtemps, je n'entendais plus mon cœur et je ne savais plus où il était exactement. Mon cœur. En dehors de la France, c'est sûr. Mais ce n'était pas mon choix. Ma petite Simone. Je sais que toi, tu ne m'as jamais jugée.

Tu m'as aimée. Je t'aime. Je t'aime, Simone.

Je t'aime, Manon.

Je suis en toi, Simone.

Tu es en moi, Manon.

Donne-moi la main, petite sœur. On va danser. Viens. Viens et mets notre chanson. *Mon amant de Saint-Jean* par Lucienne Delyle.

5
Simone

Une casserole pleine de soupe et cinq livres. Devant la porte de mon appartement.

Madame Marty m'avait-elle pardonné ? Désirait-elle une nouvelle réconciliation entre nous ? Oublier nos disputes, nos insultes, nos mots durs, oublier la police et tout le reste ? Était-elle déjà revenue à notre ancienne façon de communiquer ? Son cœur avait-il oublié ce que je lui avais fait subir ?

Quand ça va mal, il faut manger, Mounir. Remplir son estomac et ne pas laisser le corps se noyer dans l'aigreur, l'amertume, les acides.

Ma mère au Maroc disait la même chose.

Il n'y a que cela de vrai : ce petit moment où l'on est tous ensemble en train de goûter à la nourriture, la même nourriture avec les mêmes épices. Tous en train de reprendre des forces pour aller de nouveau affronter le monde et les gens. Il n'y a que cela de vrai. Manger. Mange. Mange, Mounir.

J'ai soulevé le couvercle de la casserole. Ce n'était pas de la soupe. C'était bien mieux. Du bœuf aux carottes. L'odeur me disait clairement à quel point il était délicieux, ce plat. L'appétit, je l'avais, je l'avais après la nuit étrange que je venais de vivre en sortant du commissariat.

Je me suis souvenu du conseil de ma mère.

J'ai ouvert la porte de mon appartement. J'ai pris la casserole, les cinq livres et je suis rentré chez moi.

Je ne pouvais pas attendre. Pourquoi attendre ? Ce sera ça mon petit déjeuner. Du bœuf aux carottes. Du pain. Et du thé vert avec beaucoup de sucre.

Il y avait peu de morceaux de viande dans le plat. Et beaucoup de carottes. Réchauffés, les plats cuisinés la veille sont toujours meilleurs. Les manger pas à l'heure qu'il faut est un pur bonheur.

J'ai pensé à madame Marty à chaque bouchée et, innocent, j'ai prié pour elle à chaque bouchée.

Madame Marty était bien mieux qu'une bonne cuisinière. Elle était la meilleure que je connaissais en France. Elle n'était pas moderne, sa cuisine. Elle faisait tout comme avant. Selon les méthodes d'avant. Elle était délicieusement vieille France.

Chez elle aussi, dans son minuscule studio de 14 mètres carrés, c'était comme avant. Il y avait là-dedans une odeur. L'odeur d'un intérieur français pauvre des années 1950 ou bien 1960. C'est l'impression que j'ai eue la première fois que je suis allé chez elle pour me plaindre du bruit qu'elle faisait.

Elle a ouvert la porte : d'un coup, j'ai découvert à quoi elle ressemblait, madame Marty, et à quoi ressemblait son intérieur.

Il y avait là devant moi deux images qui s'accordaient parfaitement et qui m'ont bouleversé.

Je venais la voir pour lui dire gentiment ma colère. Négocier avec elle. Un pacte, peut-être.

C'était une femme française pauvre. Vieille et pauvre. Vieille, pauvre, seule, abandonnée dans un 14 mètres carrés qui sentait le vieux, avec des toilettes sur le palier.

Madame Marty vivait dans les mêmes conditions que certains immigrés logés dans les cages qu'on appelle des foyers.

Ça sentait le renfermé. Le renfermé d'un autre temps. D'une autre décennie.

Ça sentait la cuisine. Une petite pièce où, pendant des années et des années, on avait toujours cuisiné les fenêtres fermées.

Madame Marty n'était pas du tout sale. De chez moi, à l'étage au-dessous, je l'entendais faire quotidiennement sa lessive à la main. Elle ne cessait de laver et de relaver les serviettes, les torchons et les draps. Et la lingerie et les robes à fleurs. Elle possédait très peu de choses. J'ai fini par m'en apercevoir en regardant le linge qu'elle faisait sécher à ses deux fenêtres grâce à un système de cordes qui me rappelait tellement celui du Maroc. Les couleurs de ses vêtements étaient délavées depuis très longtemps déjà. Madame Marty, c'était clair, avait arrêté de s'acheter de nouveaux habits depuis au moins les années 1980. Bien évidemment, cela était impossible. Mais c'est l'impression exacte qu'elle m'a donnée la première fois que je l'ai vue et à chaque fois que j'étais avec elle, devant elle, chez elle.

Elle était maligne aussi, mais ce n'était pas par méchanceté ni par calcul.

Elle avait compris pourquoi j'étais là, à sa porte, et au lieu de subir la situation, ma colère qu'elle sentait venir, elle avait décidé d'agir, de me prendre la main, de me séduire, de déminer le terrain, bref, de me conquérir.

Entre, entre, mon fils. Entre et ferme la porte derrière toi… Comment tu t'appelles ?

Mounir.

Mounir. C'est joli. Tu es arabe.

Oui, arabe.

D'Algérie, j'imagine.

Non, du Maroc.

Je ne connais que l'Algérie.

Vous êtes allée en Algérie ?

Non. Non. Je n'ai jamais quitté la France. Je n'ai jamais pris l'avion.

Et comment vous connaissez l'Algérie ?

Une collègue… Jallila… Elle travaillait avec moi chez des bourgeois du 7e arrondissement.

Vous faisiez quoi ?

Elle, elle était la gouvernante. Moi, j'étais la cuisinière. À mi-temps… C'étaient des gens très riches.

C'est elle qui vous a parlé de l'Algérie.

Elle était agaçante, cette Jallila. Elle ne pouvait parler de rien d'autre. Oran par-ci, Oran par-là.

Elle était oranaise, donc.

Elle disait qu'Oran, c'était le paradis. Et pourquoi tu as quitté ce paradis ? je lui disais pour la taquiner. Tu sais ce qu'elle a répondu ? L'amour. Par amour… Elle était folle. Les femmes de chez vous, les Maghrébines, sont folles, vraiment folles.

Je suis d'accord.

Tu es le premier Arabe que je rencontre qui le reconnaît aussi facilement.

Tout le monde est fou chez nous, pas seulement les femmes.

Les femmes un peu plus quand même. Un peu plus. Tu dois le reconnaître.

Ma mère était folle, c'est vrai. Mais c'est elle qui a sauvé la famille de la pauvreté. Pas mon père.

Ça, c'est l'histoire de partout. Même ici, en France.

Et… qu'est-ce que vous savez de l'Algérie ?

À force de côtoyer tous les jours Jallila et d'entendre ses histoires algériennes farfelues, cela m'a rendue un peu curieuse. Je me suis inscrite à la bibliothèque municipale du quartier et j'ai emprunté des livres sur l'Algérie.

La géographie. L'histoire. La cuisine. Les coutumes. Des livres d'images. Des livres sur la colonisation française, bien sûr. Et même des livres sur après la colonisation. Je me suis laissé séduire… C'était un peu exotique… Enfin, ça permettait de faire passer le temps, les dimanches surtout… Tu comprends ce que je dis là, jeune homme ?

Je comprends parfaitement, madame Marty… Vous…

Arrête de me vouvoyer… Dis-moi « tu ».

D'accord… Tu…

Je sais pourquoi tu viens me voir. Ne t'inquiète pas. Je ferai attention à partir de maintenant. Promis.

Les chaises surtout, quand tu les déplaces… ça fait un bruit infernal…

Infernal ! N'exagérons rien, quand même !

Si, si, je t'assure. Non seulement il y a le bruit de tes pas, boum boum, le bruit des chaises que tu tires sans cesse, mais il y a aussi, surtout surtout, l'écho de tous ces bruits dans mon appartement… Les bruits et l'écho de ces bruits… C'est insupportable. Vraiment.

Alors, qu'est-ce que tu veux que je fasse exactement ?

Penser à moi pendant que tu fais du bruit. À quel point cela me dérange.

Tu es drôle, jeune Marocain... Très drôle...

S'il te plaît... Ma tête... Ma tête... Je ne dors pas, je ne dors plus depuis que j'ai déménagé rue de Turenne. Pas assez et pas profondément. Pas assez et pas d'une traite. J'ai l'impression que je ne suis plus moi...

On parle comme ça chez vous ?

Je ne comprends pas, madame Marty.

Tu exagères... Tu exagères tout...

Il faut toujours exagérer pour arriver à dire quelque chose de vrai, non ? Il ne faut pas trop réfléchir... Je suis en dessous de toi... J'entends tout de toi, de ta vie. Matin, midi, soir. Le jour la nuit. Tout le temps.

Tu m'entends vivre, cela devrait te faire plaisir, si je comprends bien le discours que tu viens de me tenir.

S'il te plaît, madame... Et puis, j'ai bientôt 40 ans.

Bientôt 40 ans ? On ne dirait pas. Bravo ! J'ai un conseil pour toi. Écoute-moi bien. Le bruit que je fais, c'est le bruit de la vie d'une femme qui a un peu plus de 80 ans, qui vit seule depuis trop longtemps dans une boîte de sardines, comme tu peux le voir. Une femme qui a trimé toute sa vie pour s'acheter ce studio de rien du tout. Une femme qui va bientôt mourir. Ce que tu me demandes est un peu fou. Tu ne trouves pas ? Tu veux que je cesse de vivre ? Que je passe mes journées sans bouger, sans rien faire ?

Ce n'est pas ce que je voulais dire... Les pas... Tes...

J'ai un conseil pour toi. Écoute-moi bien... Tu vas t'habituer, tu verras. Entraîne-toi dès maintenant pour faire de ces bruits, mes bruits et les bruits de la voisine autrichienne, pour faire d'eux des bruits amis. Tu comprends cela, des bruits amis ? Si tu t'acharnes à les considérer comme des bruits ennemis, ils le seront encore plus. Des bruits amis... Répète ces mots dans ta tête, en français, en arabe, comme tu voudras... Avant qu'il ne soit trop tard, avant que tu ne deviennes complètement obsédé par eux, fais la paix avec eux.

Et l'écho de ces bruits dans mon appartement, qu'est-ce que je fais de cet écho ? Comment le gérer dans ma tête ?

Tu ne m'as pas vraiment écoutée.

Si, madame Marty.

Non… Tu vois où je vis, moi. 14 mètres carrés. Toi, tu en as trente et un de plus que moi…

Je ne comprends pas.

Tu finiras par y arriver… À me comprendre… Crois-moi. Je vais à la cuisine. Tu veux du thé ? Du café ? Un jus ?

On n'a pas réussi à se comprendre ce jour-là, madame Marty et moi. Elle était à l'est, j'étais à l'ouest, comme on dit au Maroc.

Au fond, bien sûr, c'est elle qui avait raison. Que pouvait-elle faire ? Cesser de marcher, cesser de respirer, cesser d'exister pour que le jeune homme marocain que je suis dorme à son aise, bien profondément ? Le problème ne venait pas d'elle. L'immeuble tout entier était le véritable problème. Tout s'entendait à un moment ou à un autre. Le robinet. Le frigo qu'on ouvrait. Qu'on refermait. Un homme qui pissait debout. Un autre qui passait l'aspirateur à minuit. Les couples qui faisaient l'amour. La jeune fille qui regardait en boucle *Friends*. Une autre qui n'écoutait que les chansons de Barbara. La vieille dame juive du 3e étage qui allumait France Inter dès 6 heures du matin et ne ratait jamais le journal télévisé de 20 heures sur France 2. L'homme à la retraite qui sifflotait tout le temps et sa fille qui apprenait la samba au 1er étage. Le jeune couple bourgeois qui n'était jamais là et qui, quand il réapparaissait, mettait toujours le même disque triste de Billie Holiday. Et la voisine autrichienne qui rentrait toujours chez elle après minuit et faisait encore plus de bruit en marchant pieds nus. Elle plantait ses talons dans le parquet. Ce n'était pas un petit boum que j'entendais alors, mais une réelle explosion névrotique dans mon appartement et dans ma tête.

Les autres voisins, je ne les croisais que très rarement. Madame Marty et l'Autrichienne, à force d'entendre le moindre bruit de leur vie au-dessus de ma tête, je les connaissais trop. Trop. Au bout de trois mois, je me suis mis à les maudire dans ma tête, à les traiter de tous les noms, et en arabe, à les tuer très froidement, très lentement et sans aucune pitié.

Privez un homme de sommeil et vous verrez de quoi il est capable. Le pire en lui sortira facilement.

J'ai demandé au président du syndic de l'immeuble d'intervenir. Il m'a répondu que ce n'était pas son affaire. Comme il habitait en dessous de chez moi, je lui ai déclaré la guerre aussitôt. J'ai cessé moi aussi de faire attention en marchant dans mon appartement. Je plantais mes talons dans le parquet. Je faisais comme l'Autrichienne. Il est venu me voir pour se plaindre. Je me suis calmé pendant une semaine. Et j'ai recommencé.

L'enfer chez soi. Le malheur chez soi. Les névroses en pleine explosion. Perdre la tête. Perdre la raison. Perdre la dignité. Et chercher toujours à se bagarrer. À se venger.

Si je ne dors pas, moi, il ne faut pas qu'ils dorment, eux non plus.

J'ai reparlé avec madame Marty. Je t'entends même quand tu pisses, madame Marty. Et moi, jeune homme, je n'ai rien raté du sexe que tu as fait la semaine dernière avec les hommes plus âgés que toi tu ramènes.

J'ai supplié l'Autrichienne blonde. Elle n'a rien voulu entendre. Elle m'a regardé comme le sale Arabe que je suis et elle a dit : Allez-vous-en ou bien j'appelle la police.

La police.

Le mot avait été prononcé. Et sans aucun doute, madame Marty l'avait entendu.

Il faut le calmer celui-là. Qu'est-ce qu'il veut à la fin ? Refaire le monde à sa guise ?

Je les ai vues, madame Marty et l'Autrichienne, qui discutaient toutes les deux. Elles ont pris une décision.

Quand je suis revenu voir une nouvelle fois madame Marty, elle m'a regardé longuement, fixement. Elle voulait certainement prendre le pouvoir sur moi. Je lui ai résisté. Elle a ouvert la bouche pour dire quelque chose. Elle n'a pas pu. Elle n'est pas aussi froide que l'Autrichienne. Elle n'est pas sans cœur. Au lieu de me menacer d'appeler la police, elle a dit qu'elle mettrait d'autres petits tapis sur la moquette et que cela allait sûrement aider à résoudre un peu le problème.

La police me faisait peur, bien sûr. Mais quand j'étais enragé, hors de moi à cause du bruit et incapable de dormir, cette peur disparaissait et le désir de me venger revenait.

Certains jours, je les passais entièrement à peaufiner des plans de vengeance qu'il m'était impossible d'exécuter.

De temps en temps, j'écoutais de la musique à plein tube à 3 heures du matin. Le best of de George Michael.

Un matin très tôt, j'ai attendu le passage de l'Autrichienne devant ma porte. Elle partait en voyage. Sans rien lui dire, je lui ai pris de force sa valise et je suis rentré chez moi avec. Elle a frappé à la porte. Elle a crié. Elle a pleuré. Cela a réveillé tout l'immeuble. Rien à faire. Je me venge. Et je persiste. Ce n'est que quand elle a dit qu'elle allait appeler la police que je lui ai rendu sa valise.

À partir de ce jour-là, tout le monde dans l'immeuble s'est mis à me détester. Sur le tableau que quelqu'un avait installé dans l'entrée, à droite de la cage d'escalier, un des habitants a écrit : « Le Marocain doit partir d'ici. » Le message a reçu plusieurs réponses positives. « Oui, dès aujourd'hui. » « Oui, on en a marre de lui. » « Oui, qu'il aille dormir à l'Armée du Salut. » « Oui, qu'il retourne dans son pays. »

Ma réponse à moi a été plus violente. « Je partirai quand je vous aurai tous tués. Pas avant. En attendant, que l'enfer continue. »

Je savais que j'étais en train de franchir une nouvelle ligne rouge en écrivant ce message. Le lendemain matin, je l'ai effacé. Mais le soir même, sur le tableau, quelqu'un avait affiché une photo qu'il avait prise de mon message de guerre.

Ils avaient une preuve contre moi. Et, sûrement, ils l'ont montrée à la police.

Ce jour-là, pour la première fois, madame Marty a laissé devant chez moi une casserole remplie de soupe.

Je ne l'oublierai jamais.

Une soupe aux vermicelles et aux crevettes. Elle était bonne. Très bonne.

Un geste de mère pour calmer le fils enragé avant que cette histoire de bruit ne se termine par une tragédie.

Madame Marty avait vu la photo de mon message affichée sur le tableau et au lieu de s'en prendre à moi elle avait compris qu'il fallait plutôt m'aider. Calmer le jeu était dans l'intérêt de tout le monde.

Le surlendemain, je lui ai ramené sa casserole et je lui ai offert une petite boîte de chocolats de chez Jacques Genin.

Elle était ravie.

Pour me remercier à son tour, elle m'a raconté des bouts de sa vie. Des éclats de sa vie. Les combats. Les drames. La solitude depuis très longtemps comme seule compagne. Elle a parlé de sa sœur, Manon, juste un peu pour commencer. Plus tard, elle m'a donné tous les détails de la disparition de Manon à la fin de la Seconde Guerre mondiale.

Madame Marty a parlé de ce qui l'avait poussée à prendre un deuxième boulot dans les années 1970 pour pouvoir s'acheter son petit studio de 14 mètres carrés.

Mon mari en avait marre de Paris. Il a décidé du jour au lendemain de retourner dans son village d'origine en Ardèche. Je n'ai pas voulu le suivre. L'Ardèche ne me disait rien. On ne quitte pas Paris pour aller s'enterrer dans un bled pourri en Ardèche. Je le lui ai dit. Le mot « pourri » l'a beaucoup blessé mais je m'en fichais. Paris, c'est toute ma vie. Paris, c'est là où j'ai appris la vie. Je n'avais pas d'argent, mais j'avais Paris. Je n'étais qu'une esclave qui faisait tous les jours la cuisine pour la famille Derain, dans le 7e arrondissement, oui, mais le soir, en marchant dans les rues de Paris, je sentais que cette ville, quoi qu'il arrive, était à moi, serait toujours à moi aussi. Elle me protégerait et me sauverait des aléas de la vie. Paris ou rien.

Je pars en Ardèche et j'emmène notre fils Pierre avec moi, il a dit.

Fais comme tu veux. Emmène-le avec toi.

Mon mari n'en croyait pas ses oreilles. C'était comme s'il était en train de découvrir une nouvelle Simone. Moi-même, je l'avoue, je crois que je n'avais pas bien réfléchi. En colère, je ne savais pas très bien ce que je disais.

Tu n'as pas un cœur de mère pour Pierre. Alors, c'est à moi de faire de lui un homme. Je lui donnerai ce que tu refuses de lui donner depuis le départ, depuis sa naissance. Tu n'as jamais été réellement sa mère. Ma famille en Ardèche m'aidera.

Il est parti avec Pierre. Il a attendu cinq mois et il a demandé le divorce. Il avait enfin compris que je ne reviendrais pas sur ma décision.

J'avais Paris, mais cela n'a pas été du tout facile. Je ne pouvais pas tout payer seule, le loyer de l'appartement et toutes les factures. J'ai donc expliqué ma situation à monsieur Derain en espérant qu'il allait m'augmenter. Il m'a écoutée très attentivement et il a dit que, si je voulais, je pouvais habiter chez eux, dans une des deux chambres de bonne au dernier étage de leur immeuble.

Comme ça, vous n'aurez pas de loyer à payer.

Cette proposition n'était pas du tout de la générosité. Monsieur Derain était tout sauf généreux. Habiter chez eux, avec eux, voulait dire être encore plus à leur service. Être leur esclave jour et nuit. Passer toute ma vie dans leur cuisine.

Non, monsieur Derain. C'est très gentil mais je préfère décliner cette offre.

Comme vous voulez, ma petite Simone. Comme vous voulez. Si vous changez d'avis, revenez me voir. Je serai toujours là pour vous aider.

J'ai quitté l'appartement que je louais avec mon mari et j'ai pris une chambre pas chère dans un hôtel à Barbès.

Tu vois, Mounir, les immigrés arabes, je connais. Je les ai fréquentés pendant des années à Barbès. Tu n'es pas le premier Arabe pour moi. J'ai connu d'autres hommes arabes avant toi. Ils étaient mes amis. Ils étaient pauvres. J'étais pauvre comme eux. Et cela a renforcé notre amitié. C'est d'ailleurs grâce à l'un d'entre eux, Chafik le Tunisien, que j'ai trouvé ce studio et que j'ai pu l'acheter. Il appartenait à l'époque à un juif séfarade chez qui il travaillait. Dans ce temps-là, la rue de Turenne était plus juive qu'aujourd'hui. Plus et mieux vivante qu'aujourd'hui.

Quand il a vu que je n'allais pas accepter son offre, monsieur Derain a changé de ton. Pour lui, j'étais en train de le défier. Alors, il a baissé mon salaire. Ce qui m'a obligée à prendre un second travail. Le matin et le midi chez les Derain. L'après-midi et le soir dans une boulangerie à aider les artisans boulangers et à faire le nettoyage du magasin avant la fermeture.

Voilà, Mounir. Tu connais un peu de ma vie. Je sais et je vois que tu comprends. Je sais et je vois que tu souffres. Cela ne sert à rien de discuter à nouveau de ce qu'on doit faire pour que tu puisses dormir. Cet immeuble a toujours été comme ça. On entend tout. Et il est loin d'être le seul comme ça, crois-moi.

Tout est déjà trop tard, d'une certaine façon. Pour moi. Mais pas pour toi, Mounir. Dis-toi que ce qui ne va pas aujourd'hui, l'hostilité du monde, ce n'est pas entièrement de ta faute. Les habitants de cet immeuble sont des gens arrogants. Même à moi ils ne disent pas bonjour. Même moi ils me regardent de haut. Leurs yeux disent : Mais que fout encore dans la vie cette vieille chose ? Je suis tout en haut, au dernier étage. Je suis la seule qui a les toilettes sur le palier. Cela m'emmerde. Cela me fait chier. C'est froid, ces toilettes. Et la nuit, avec l'âge, j'ai envie de pisser tout le temps. C'est comme ça. Toi, tu m'entends marcher en pleine nuit et tu crois que c'est contre toi, que c'est pour te faire du mal. Je suis vieille. Regarde-moi. Je suis vieille. Tu as quasiment le même âge que mon fils Pierre que je ne vois presque plus. Je ne peux pas te faire du mal, Mounir. Je ne peux pas oublier ces hommes arabes merveilleux que j'ai connus quand j'habitais à Barbès. En toi, je les vois. En toi, je me souviens d'eux. Tu n'es pas comme eux, exactement comme eux, mais en même temps tu es eux. Tu as l'air un peu plus cultivé qu'eux, plus sophistiqué, mais cela n'empêche pas qu'un lien naisse entre toi et moi.

Je ferai plus attention, Mounir. Je te le promets. Je n'ai pas envie d'être celle qui cause un peu ton malheur.

Comme les hommes arabes de Barbès, tu m'as apporté des cadeaux.

Je vis ici, dans la rue de Turenne, depuis les années 1970, et aucun habitant de cet immeuble ne m'a jamais apporté quoi que ce soit. Toi, tu m'as offert un Tropicana citron vert-ananas et tu m'as dit que c'était une des choses que tu aimais le plus en France, ce jus. Tu m'as offert des gâteaux algériens. Des biscuits au petit-lait qui coûtent 70 centimes d'euro. Tu m'as offert plusieurs fois un peu de tagine quand il t'arrivait d'en préparer. Et tu m'as offert des petites boîtes de chocolats de chez Jacques Genin. J'ai mangé le chocolat et j'ai gardé les boîtes métalliques. Toutes.

Tout est déjà trop tard. Et on n'y peut rien. Je sais ce que peut vivre un Arabe en France. À Barbès ils m'ont raconté, les hommes. Et ils ont pleuré.

J'ai des yeux : je vois ce qu'on leur fait, aux immigrés, comment on les traite, comment on parle d'eux. Regarde-moi, Mounir. Regarde-moi. Je ne suis pas ton ennemie. Je suis aussi perdue que toi. Tout aussi seule que toi. Survivante comme toi. Dans la mort déjà. Dans 14 mètres carrés depuis les années 1970. Tu comprends ? Ce qui t'arrive vient des bruits de cet immeuble. C'est ce que tu dis. Le bruit de mes pas. Le bruit de l'Autrichienne. Le bruit de tous ces autres qui sont là et en même temps pas vraiment là.

Ce qui t'arrive ne provient pas juste de ce qui se passe dans cet immeuble. Ça se passe aussi en toi. En toi.

Qu'est-ce que tu ne veux pas entendre ? C'est ça la question que tu devrais te poser. Qu'est-ce qui s'est passé dans ta vie que tu ne veux pas entendre, admettre, accepter ?

La France est la France. Le pire que tu y vois aujourd'hui n'est pas nouveau, n'est pas récent. Pas du tout. Cela vient de loin. Tout vient de loin. Tout finit par revenir. Je te raconterai un jour tout ce qui est arrivé à Manon, ma sœur, et tu comprendras encore plus.

La France fout le camp, je le sais. La France descend, je le sais. Mais toi, pour pouvoir continuer à vivre ici, tu dois trouver un compromis. Tu dois lâcher quelque chose. Tu dois. Je sais que vous, les Arabes, vous aimez l'exagération en tout. La surdramatisation en tout. Et depuis ton arrivée dans cet immeuble, tu l'as largement prouvée, cette réputation.

Je suis seule avec moi-même, au dernier étage, vieille, un peu malade, et je ne supporte pas ce vide qui s'installe de plus en plus entre moi et l'existence. Et j'ai peur, Mounir. Je vois pourquoi tu cries. Je comprends ce qui te pousse à le faire. À faire tout ce cirque, à renverser l'ordre, l'ordre bourgeois de cet immeuble. Au fond, je crois, cela n'est pas pour me déplaire. Tu as 40 ans. C'est ce que tu m'as dit. Tu as fait le tour de la vie. De ta vie. C'est l'impression qu'on a.

Tout est déjà trop tard. Je le dis et je le redis.

Qu'est-ce que tu ne veux pas entendre ? Je te pose encore une fois la question, mais je n'attends de toi aucune réponse.

Regarde cette petite bibliothèque derrière toi. Combien de livres il y a dedans, à ton avis ? Trente ? Quarante ? C'est monsieur Derain qui me les a donnés, ces livres, quand il était encore gentil avec moi.

Monsieur Derain est mort à la fin des années 1980.

J'ai décidé de les relire, tous ces livres. Pour la dernière fois. Pour le dernier voyage. Pour m'accompagner là-bas. Là-bas, là-haut, l'au-delà. La vie lente.

La vie lente.

Je les lirai tous et je te les offrirai au fur et à mesure. Je n'ai personne à qui les confier. Mon fils Pierre ne m'a jamais pardonné de l'avoir abandonné. Il ne me considère plus comme sa mère, depuis très longtemps déjà. Il n'y a rien à regretter. C'est trop tard de toute façon. J'ai choisi Paris. Il a grandi. Il a choisi à son tour. Tu n'es pas ma mère. Je ne suis plus sa mère. Je lui ai juste donné la vie. C'est tout. Rien d'autre. Il n'y a que toi. Te les offrir à toi, Mounir. Ces livres.

Tu acceptes ce cadeau ? Tu acceptes de continuer à me faire vivre après ma mort ? Tu acceptes cette proposition de paix ? Tu acceptes de lire dans les mêmes lignes que moi ?

Ne réponds pas. Ne réponds pas maintenant.

Réponds d'abord à la jeune fille qui m'a appelée pendant ton absence. Je ne sais pas comment elle a eu mon numéro de téléphone. Elle était affolée. Elle disait qu'elle t'avait laissé plusieurs messages. Ton silence l'a poussée à croire que quelque chose de grave t'était arrivé. Je l'ai rassurée comme j'ai pu. Et elle m'a fait jurer de te transmettre le message. Voilà qui est fait.

Elle s'appelle Majdouline. Ta cousine de Bruxelles.

D'une manière très exagérée, elle a dit que c'était très urgent. Une question de vie ou de mort.

Appelle-la.

6

Fayoum

Antoine est revenu à moi.

Il avait estimé qu'il m'avait assez puni comme ça. Sept jours à jouer la comédie de la séparation. Sept jours à faire basculer le pouvoir dans notre relation de son côté. C'est lui qui aime le moins. Pas moi. C'est donc lui qui décide.

Je la méritais bien à vrai dire, cette punition, et j'ai reconnu très vite que je n'aurais pas dû me comporter ainsi, lui faire du mal ainsi, le rabaisser ainsi. L'éloigner de moi ainsi. Les mots ont dit ce que je ne voulais pas dire. Je ne savais même pas où exactement en moi se logeaient cette arrogance et ce mépris.

Tu n'as jamais été au musée du Louvre, Antoine ? Tu es français et tu n'as jamais été au Louvre ?

Je ne te crois pas, Antoine.

Dans cet étonnement naïf, il y avait surtout de l'insensibilité et du sectarisme. Après tout, l'art et la culture peuvent exister, existent même, ailleurs que dans les prestigieux musées de l'Occident. Dans mes mots, il y avait soudain une mise à distance d'Antoine, de sa vie, de son passé. Je le renvoyais à quelque chose, à un lieu de sa vie où la honte sociale était dominante. Il croyait en être sorti mais non. Voilà qu'un petit morveux de Marocain, en pleine remise en question existentielle, vient lui rappeler ce passé, lui fait ressentir qu'il n'est rien. Il appartient à la catégorie sociale très française des beaufs qui ne vont jamais au musée.

Antoine a rougi. Baissé la tête. J'imaginais qu'il réfléchissait à quoi répondre. Non, il ne savait pas quoi dire. Le Louvre. Qui peut rivaliser avec le Louvre ? Et au fond, pourquoi n'y était-il jamais allé dans ce musée, le plus grand, le plus beau et le plus célèbre du monde entier ?

Je pensais à tout ce qui passait dans sa tête et, au lieu de le sauver, de le réconforter, de demander pardon, je me suis tu moi aussi.

Le silence entre nous deux a duré une minute. Une longue et interminable minute remplie de honte, de malaise et de fureur.

Le début de la fin.

Ce n'était pas sa faute. C'était moi. Après toutes ces années à Paris, je parlais comme les Parisiens. Avec la même froideur et la même arrogance. Et surtout avec la même ignorance de l'autre.

Tout ce qui n'est pas Paris n'existe pas. Bien sûr. Comme c'est affreux. Comme c'est étrange. Comme c'est injuste. Comme c'est nul.

Qu'est-ce qu'il aurait pu dire, le pauvre Antoine ? Frimer ? Répondre, par exemple, que Zurbarán et le Tintoret étaient ses peintres préférés ? Me parler de Francis Bacon et de Giacometti ?

Pourquoi revenir à Paris, au centre de Paris, à ses monuments écrasants et à sa culture proclamée comme une identité absolue, une super identité ? Pourquoi ce besoin de se cacher derrière la culture officielle, la culture bourgeoise qu'on ne propose évidemment pas à tout le monde, même en France ?

Pourquoi aller à la station de métro Palais-Royal, qui donne accès au Louvre, alors que nous étions si bien à notre station de RER A, La Défense-Grande Arche, en train d'attendre, en train de vivre l'amour autrement, dans un nouveau territoire ?

Il était vraiment blessé, Antoine, mais il ne pouvait pas l'exprimer. Cela aurait été encore plus blessant pour lui. Son silence s'est prolongé. Les bruits de la vie autour de nous revenaient avec force. On les entendait clairement. On faisait attention au monde. Le monde n'était plus juste Antoine et moi, comme avant.

Il s'est mis à regarder autour de lui. J'ai fait comme lui. Mais le monde ne sauve jamais les désespérés, ceux qui sont en train de se noyer très lentement. Une fois que la tragédie a bien eu lieu, on dit : Ah, on n'a rien vu, on ne se doutait de rien. Bien sûr. Bien sûr.

La Clé du Paradis est revenue à mon esprit. Cette boulangerie et ses merveilleuses boulangères voilées, c'est ce qui allait nous sortir de cette crise, Antoine et moi, de ce silence, de ce blocage, de notre honte.

Nous étions comme des étrangers au monde de la station Palais-Royal. L'air qu'on y respirait mettait en nous du vide, de l'angoisse et de la discorde. Il fallait retourner au premier lieu, du côté de Nanterre, pour espérer la réconciliation entre nous. Nous retrouver comme au début et ainsi continuer dans l'amour.

On va manger chez Oumayma et ses filles ? Elles proposent en ce moment de très bonnes crêpes algériennes fourrées aux légumes et très épicées. Ça te va, Antoine ?

Antoine s'est levé sans rien dire. Je l'ai suivi. On a pris le métro, puis le RER A jusqu'à la station Nanterre-Préfecture. On a traversé le parc André-Malraux plus vite que jamais. Dans la galerie commerciale de la cité Pablo-Picasso, cet après-midi-là, il n'y avait que très peu de gens, seul le salon de coiffure algérien était bondé comme d'habitude.

Oumayma était seule dans la boulangerie. Les autres filles faisaient une pause. Elles étaient allées à la mosquée pour la prière.

Oumayma était elle aussi dans la mélancolie. Rêveuse derrière le comptoir, elle écoutait de la musique, fort.

Barbara. *L'Île aux mimosas*.

J'ai tourné la tête vers Antoine pour lui dire le titre et j'ai vu que, comme moi, il avait été immédiatement pris, saisi par les paroles de la chanson. Par le mouvement et par l'appel qu'elle contenait. *L'Île aux mimosas* paraissait avoir été écrite spécialement pour nous. Pour nous trois ce jour-là, à ce moment précis, dans la boulangerie, la Clé du Paradis.

Sans dire bonjour à Oumayma, nous nous sommes assis sur les tabourets, à l'entrée, et nous avons continué avec elle le voyage. La chanteuse Barbara n'y était pas morte. Plus vivante que jamais, elle chantait d'une manière pure, elle tournait autour d'elle-même et autour de nous, captivés, hypnotisés.

Il y a si peu de temps entre vivre et mourir
Qu'il faudrait bien pourtant s'arrêter de courir
Toi que j'ai souvent cherché à travers d'autres regards
Et si l'on s'était trouvés, et qu'il ne soit pas trop tard
Pour le temps qu'il me reste à vivre
Stopperais-tu ta vie ivre
Pour vivre avec moi
Sur ton île aux mimosas

La chanson s'est terminée. Mais après trois ou quatre secondes elle a recommencé. Barbara chantait de nouveau, en live, dans un théâtre. Elle semblait transportée par un élan mystique assez extraordinaire. Il y avait comme du feu en elle, dans sa voix. Le feu sacré de l'amour, de la foi. Le public était en totale osmose avec elle. Tout au long de la chanson, on sentait sa présence fiévreuse, religieuse, incandescente. Entre Barbara et ce public, ce dont il s'agissait, là, c'était quelque chose d'éternel. Dans le désespoir et dans l'éternité. Il n'y avait que cela qui pouvait autoriser autant de liberté, autant d'audace.

Dans la boulangerie, je n'étais pas le seul à comprendre et à entièrement partager tout cela. Cette vérité qui vient d'une chanson populaire.

Oumayma avait besoin d'écouter, encore et encore et encore, *L'Île aux mimosas*. Peut-être était-elle en train d'apprendre les paroles par cœur.

Antoine a posé sa tête sur la table. Je me suis mis à caresser ses cheveux. Barbara nous réconciliait, pour l'instant, nous ramenait à l'essentiel : oublier le monde, se concentrer sur le miracle de la chanson qui faisait éclater toutes les barrières et toutes les timidités.

L'amour.

L'amour à deux, entre Antoine et moi. L'amour à trois, entre Antoine, Oumayma et moi. L'amour à quatre, entre Antoine, Oumayma, Barbara et moi.

Je n'étais plus en France. J'étais transporté vers mon enfance.

Je suis avec mes sœurs. On n'arrive pas à faire la sieste. Il n'y a qu'une radiocassette. Ma sœur aînée Khadija appuie sur play. Le merveilleux chanteur égyptien Abdelhalim Hafez est en train de ravir le public en reprenant pour la cinquième fois le refrain de sa chanson *Hawel Tiftikirni* (Essaye de te souvenir de moi). C'est l'extase. Le « tarab » arabe. Tout, absolument tout, n'a de but dans la vie que d'atteindre cet instant si précieux : tous les corps se fondent en un seul, parlent et chantent par une seule voix.

Je suis avec mes sœurs et, avec nous, il y a aussi Antoine, Oumayma et Barbara.

Antoine est revenu à moi après sept jours de séparation.

Il a voulu qu'on aille au Louvre.

Il m'a appelé au téléphone et, d'une voix froide, il a dit : Montre-moi ce que tu aimes le plus dans ce musée.

J'ai réfléchi quelques secondes et j'ai répondu avec un enthousiasme excessif : Une visite nocturne ? Mercredi soir ? Cela te va ? Le Louvre est moins envahi les mercredis et vendredis soir. Il est plus beau, plus poétique, plus étrange, la nuit. Tu es d'accord, Antoine ?

Mercredi de la semaine prochaine ?

C'est toi qui décides, Antoine.

Alors, on y va quand j'ai dit.

Avec plaisir, avec joie, avec bonheur, Antoine. Je t'embrasse très fort, Antoine.

C'étaient des mots trop chaleureux, trop dans l'exaltation rapide. Il s'est contenté de répondre par un Au revoir neutre et il a raccroché.

Je lui avais donné rendez-vous à 18 h 30, à l'intérieur du musée, devant l'entrée de l'aile Sully.

Un plan du musée entre les mains, il était là bien avant moi. Assis sur un banc. Seul en train de m'attendre.

Antoine et sa merveilleuse bonhomie. Antoine et son corps gros qui apaise, qui réconcilie avec la vie sans vous faire inutilement sortir de la mélancolie. Antoine, son ventre, ses bras, ses cuisses. Ses pieds. Son visage tellement large. Antoine et son désespoir curieusement bienveillant, contagieux. Antoine perdu lui aussi, à qui je ne pose aucune question sur sa famille, son ex-femme, ses enfants. Le passé où je ne suis pas.

Antoine au Louvre pour la première fois.

Antoine qui revient après sept jours de silence et de froideur. Il est là. Il m'a pardonné, je crois. Il a oublié les mots blessants que je lui ai dits, je crois. Il est là et il étudie très sérieusement le plan du musée.

Antoine m'avait manqué terriblement. Plus que reconnaissant, j'avais envie de persister dans mon exaltation et de lui dire tout, tout. Tu m'as manqué. Tu m'as manqué. Tu m'as manqué.

Tu me manques toujours.

J'avais choisi de lui montrer quelque chose qui pour moi dépassait les idées que l'on se fait généralement sur l'art et la culture. Les portraits du Fayoum dans le département des antiquités égyptiennes, section de l'Égypte romaine.

Des portraits peints sur bois au Ier siècle et placés sur des momies au niveau des visages. On ne les a retrouvés qu'au XIXe, bien conservés, dans la région du Fayoum, au sud du Caire. Et on les considère comme les premiers portraits peints de l'histoire de l'humanité.

Je les avais découverts la première fois que j'avais visité le Louvre, en 1998. Et depuis ma passion pour eux ne s'était jamais épuisée. Bien au contraire. Les visages et les yeux extraordinairement vivants de ces femmes et de ces hommes n'avaient jamais cessé de m'habiter, de me hanter. Leur beauté intense. La simplicité de leur exécution. La vie en eux au-delà de la mort. Le miroir tellement profond, tellement vrai, qu'ils nous tendent. Le dialogue qu'ils entament avec nous. La magie et le trouble. La fascination. La sorcellerie. Et cette conviction : la mort n'est pas la fin. Ne sera jamais la fin.

Morts, nous sommes enfin dans la vérité. La vérité absolue.

Les hommes et les femmes qui habitent les portraits du Fayoum sont en train de nous parler, de nous dire l'essentiel. Ils nous confient des secrets. Ils nous aiment. Oui, c'est cela. Ils nous aiment.

Les premières années à Paris, j'allais souvent les saluer. Les laissais me regarder. J'étais convaincu qu'il se passait alors quelque chose d'incroyable, au sens propre, entre nous. Leurs yeux me guérissaient momentanément. Et j'avais envie d'entrer en eux, profond, loin dans l'âme, loin dans le temps, loin dans l'absence des corps et des frontières.

Mourir là, tout de suite, devant eux.

Devenir Fayoum moi aussi.

Fayoum comme prénom et comme destin et comme une façon de quitter heureux le monde faux.

J'allais les voir au Louvre la nuit. Et je repartais sans avoir rien vu d'autre qu'eux. Je croyais sincèrement qu'un jour ou l'autre ils allaient enfin me permettre d'entendre leurs voix. Écouter leurs mots. Leurs histoires. Leurs secrets.

Le lien entre nous. C'était cela, l'art, pour moi. L'art qui n'est pas de l'art. Pas officialisé comme art. L'art loin des spécialistes et de leurs discours trop intelligents, trop asphyxiants, l'art quand il ne sépare pas les gens, quand il ne confirme pas la légitimité des bourgeois, des intellectuels et des riches. Ceux qui sont déjà bien installés. Nés installés. L'art qui, même dans cet immense cimetière glacial parfois qu'est le Louvre, n'est pas mort. L'art qui brûle pour de vrai, comme la vie. L'art qui ne se pense pas comme de l'art.

Les portraits du Fayoum étaient tout cela pour moi. Et bien plus encore. Et je voulais le dire à Antoine. Le partager avec Antoine. Sa première fois serait aussi ma première fois. Ma sincérité allait effacer ma maladresse, mon manque de tact, mon insensibilité, mon arrogance.

L'art au premier degré. L'art comme une expérience amoureuse qui ne cesse de se prolonger sans jamais s'arrêter.

Antoine comme un Fayoum. Avec Antoine dans ses premiers pas au Louvre.

Loin d'un remake triste de la visite du célèbre musée que font les héros de *L'Assommoir* d'Émile Zola.

C'était cela mon but pour Antoine. Mon rêve. Quelque part dans l'enfance, l'adolescence, recommencer encore une fois tout avec lui.

Le destin en a décidé autrement.

Antoine ne m'avait pas pardonné. Mes mots blessants étaient encore en lui. La colère qu'ils avaient provoquée dans son cœur était toujours là. Grande. Contre moi. Et il ne faisait rien pour la cacher. Rien.

Dans ce musée qu'il visitait pour la première fois, il voulait être celui qui guidait, pas celui qui se faisait guider. L'homme, c'est lui. Le Français, c'est lui. La légitimité, c'est lui.

J'ai bien étudié le plan du Louvre en t'attendant. Je sais où se trouvent les portraits du Fayoum. Tu me suis ?

Il a souri, un petit peu, pour cacher sa colère et son désir de vengeance.

C'était comique, franchement comique, mais pas comme chez Émile Zola.

Rien de surprenant, bien sûr. Il faut toujours que quelqu'un se soumette. Joue à l'esclave. Honore l'autre comme celui qui a le pouvoir, comme celui qui sait et qui décide.

Je sais où se trouvent les portraits du Fayoum. « Tu me suis ? » C'est ce qu'il avait dit, mot pour mot.

Un courant glacial m'a traversé de la tête aux pieds. Mon instinct de survie s'est mis en mode alerte. Et mon cœur, je crois, s'est arrêté.

Laisse-le jouer à l'homme. Laisse-le prendre sa petite revanche. Laisse-le faire l'enfant capricieux. Tout cela n'est que le signe que tu l'avais vraiment blessé. Baisse la tête, fais le gentil, le docile. Pas de colère. Pas d'huile sur le feu. Quelque chose de plus grand, et que tu ignores, est en jeu là. Ce n'est qu'un mauvais moment à passer. Serre les dents et n'oublie pas que cet homme en colère, cet Antoine, tu l'aimes. Tu le sais très bien. Tu l'aimes. Et de l'amour, tu connais tout déjà, non ? Laisse-le se calmer à sa façon. Écrase-toi. Tu n'as pas d'autre choix. Ce n'est qu'un mauvais moment à passer, rien de plus. Plus tard, dans l'intimité des corps nus et retrouvés, viendra la réconciliation. Et peut-être les larmes.

Faire l'hypocrite, jouer faux, jouer machiavélique même, tout cela était largement dans mes capacités. J'avais un don naturel pour la comédie. Un talent inné.

Je fais celui qui aime et qui accepte l'autre comme il est. Je fais l'ignorant. Le Louvre, comme c'est beau, comme c'est grand, comme c'est extraordinaire. Je suis avec toi, Antoine, entièrement avec toi. Fais le guide.

Je ne dis rien, je laisse Antoine entrer dans la peau de son personnage. Il déplie le plan et montre le chemin à suivre jusqu'aux portraits du Fayoum.

C'est presque émouvant, au début, de le voir comme ça. Entre l'autoritaire et le blessé. Celui qui a besoin qu'on le console. Qu'on lui dise à quel point il est intelligent. À quel point il est capable.

En entrant dans l'une des galeries des antiquités égyptiennes, je mets ma main sur le dos d'Antoine. Une petite caresse et un peu de tendresse pour l'encourager et déminer encore davantage le terrain. Je l'aime, Antoine, et son corps m'attire irrésistiblement. Je ne peux pas le nier.

S'il te plaît, Mounir, enlève ta main.

Ce n'était pas une demande. C'était un ordre. Une flèche empoisonnée qui me transperce le cœur.

Je ne comprends peut-être pas l'art comme toi, aussi bien que toi, mais je n'ai pas besoin de tes encouragements. Enlève ta main, Mounir. Je ne suis pas un enfant.

Je ne réfléchis même pas à tout ce qu'il veut me dire par là. Les nuances de sa vengeance. Je m'exécute. Je n'ai pas d'autre choix. Je ne sais plus ce que je ressens. Nous continuons de marcher devant les œuvres égyptiennes.

Je ne dis rien.

Je vois qu'il s'est trompé de chemin. Je le laisse faire. Se perdre au Louvre peut être après tout assez agréable. Le hasard nous guide.

Au bout de trente minutes de marche et de silence, Antoine s'arrête. Il ouvre le plan. Essaie de retrouver le bon chemin. Cela prend un certain temps. Dois-je intervenir ? On est passé du comique au ridicule. Je dois faire quelque chose.

Je me rapproche de lui. Je pose ma main droite sur son épaule gauche. Je regarde le plan et du doigt je lui indique où se trouvent les portraits du Fayoum. Le chemin.

Antoine se fâche. Il replie le plan avec lenteur, colère et froideur.

Je me fâche à mon tour. Contre moi, pas contre lui.

Il se met à marcher. Il cherche quelque chose. Il le trouve. Un banc. Il s'assied. Sans me regarder.

Tout cela est à présent plus que ridicule. C'est de l'enfantillage. Il faut que ça cesse. Je me rapproche de lui. Je m'assois à côté de lui.

Avec violence, il me lance le plan du Louvre. Je l'attrape. Je ne me maîtrise plus. Trop c'est trop. Je me lève. Je jette le plan par terre. Et je fous le camp. J'abandonne Antoine avec sa blessure et je ne sais quoi d'autre de pas réglé en lui.

Le musée est comme éteint. Je passe d'une salle à l'autre sans savoir où je vais ni ce que je veux. Des statues. Des tombeaux. Des figurines. Des bas-reliefs. Des hauts-reliefs.

Des dessins. Des papyrus. Des objets. Des ustensiles. Des tissus. Des bijoux. La mort. Tout est mort. Mort mort.

Me voilà devant les portraits du Fayoum. Ils sont tristes eux aussi. Ils se demandent eux aussi ce qu'ils font ici, dans ce cimetière qu'ils n'ont pas choisi. Dans ce monde froid. Cette nuit.

Les yeux crient.

Déplacés, les femmes et les hommes du Fayoum veulent revenir à leur première terre. L'Égypte. Ils pleurent. Je ne rêve pas, ils pleurent. Ici, c'est comme une prison. Ici, c'est la comédie et le vide. Ici, les portraits du Fayoum sont étrangers.

Je ne reste pas longtemps devant eux. Je n'ai pas le cœur à ça.

Une nostalgie invraisemblable d'Antoine se réveille et s'installe en moi. Là, c'est sûr, je perds la tête, la raison. Ce n'est pas moi qui pense à l'intérieur de moi. Un autre que moi est dans le manque d'Antoine. Peut-être que je suis en train de comprendre que c'est vraiment la fin.

C'est ce qu'ils me disent, les portraits du Fayoum. C'est la fin. Fais quelque chose avant qu'il ne soit vraiment trop tard. Tu approches de tes 40 ans. Cet homme, c'est ta dernière chance. Va. Cours. Arrête de jouer à la victime. Va. Va, Mounir. Il est revenu. Il veut revenir lui aussi, Antoine. Il est assis sur le banc. À l'entrée de l'aile Sully. Il t'attend.

Va. Cours. Cours.

Je ne cours pas. Je presse juste le pas. Je refais le chemin à l'envers. Les portraits du Fayoum avaient raison. Assis comme au départ, comme à la station du RER A La Défense-Grande Arche, Antoine est lui aussi dans l'espoir d'une réconciliation, d'un nouveau chapitre.

Sans rien dire, je me mets à côté de lui. Je le regarde.

Il prend son temps. Il finit par tourner la tête vers moi.

Les yeux dans les yeux.

Le défi ? La guerre ? La fin ? Juste un jeu ? Qu'est-ce qu'il veut ? Et qu'est-ce que je veux ?

Il se lève. Il ne part pas. Je sais qu'il veut que je le suive. Mais je ne comprends rien. Je le suis quand même. Le Louvre est vide. Me paraît complètement vide. Il est 21 heures.

Antoine m'emmène aux toilettes. Il entre. Il me tient la porte. Je le rejoins. Il la referme derrière nous. Il tire le loquet.

Nous sommes deux. Que nous deux. Dans une cage. Je dis ces mots dans ma tête pour réaliser ce qui est en train de se passer.

Antoine ferme les yeux. Il respire bruyamment. Son cœur, je crois, bat très fort et il ne parvient pas, je crois, à le calmer. Il prend son temps. Ses yeux restent fermés un bon moment. Pour se donner du courage sans doute. Aller jusqu'au bout. La décision qu'il a prise pendant que j'errais triste dans les salles du Louvre.

Je sais ce qu'il va me dire. Les banalités qu'il va me sortir. Il n'ouvre pas la bouche. Je les entends déjà. La vie n'est qu'une longue série de répétitions. Tout arrive si vite à un point de non-retour. On arrête cette relation, Mounir. On arrête cet amour, Mounir. La puissance lumineuse du départ est maintenant une énergie noire.

Trois mois. C'est plus que suffisant. L'amour, même quand il n'a pas été officiellement déclaré, ne peut visiblement pas aller au-delà de cette durée. Trois mois quand on a de la chance. Trois mois dans une belle et vraie illusion.

Au moindre petit faux pas, le terrorisme amoureux revient et impose sa loi. Le meurtre. Impitoyable. La séparation. Définitive.

Vas-y, Antoine. Tue-moi. Sois un homme. Sois fort. Puisque tout finit un jour ou l'autre, achève-moi ici, au cimetière du Louvre. Venge-toi sur moi. Venge tous les autres qui t'ont précédé et que, sans cœur, j'ai assassinés moi aussi. Vas-y, Antoine. Sors le grand couteau. Tends le bras. Ici, c'est le cœur. Mon cœur. Tu l'entends ? Il bat. Sois un homme. Tue. Tue. Libère-toi. Libère-moi. Tout est destin. Tout est mektoub. Ce n'est pas ta faute. Ne crains rien. Je ne te poursuivrai pas devant la justice et je ne t'inonderai pas de SMS remplis d'amertume. Rien de tout cela. Rassure-toi. Si tu veux, même, je peux t'écrire un e-mail, ou bien une lettre, pour te confirmer tout cela. Vas-y, monsieur Antoine le policier. Ouvre tes yeux, dis ce que tu as à dire, fais ce que tu as à faire. Ton couteau ne m'effraie pas. Je le connais déjà. Ouvre tes yeux. Ouvre tes yeux. Sois courageux. Je ne garderai de toi que les bons souvenirs. L'intensité de nos rencontres et de nos sentiments en dehors des frontières de ce monde. C'est promis. C'est juré. Tue-moi. Tue-moi, je te dis. C'est ma décision, c'est ma volonté. Pas les tiennes. Tue-moi et reviens à ta femme, à tes enfants. Tue-moi et reviens à la police pour défendre ton pays contre les ennemis. Il n'y a que comme ça que la vie marche. Tu le sais mieux que moi. Par le meurtre. Il n'y a que cela que les hommes comprennent. C'est ce qu'ils désirent d'abord et avant tout. La violence. La guerre. Qui domine. Qui se soumet. Face à tout ce beau programme bien implanté en nous avant nous, l'amour n'est rien. Absolument rien. Une fiction dérisoire qui ne laisse derrière elle aucune trace dans nos gènes ni dans notre ADN. Je ne t'apprends rien, Antoine. Alors, s'il te plaît, s'il te plaît, tue-moi. Ouvre les yeux. C'est un ordre. Tu m'entends ?

Il ne pouvait pas m'entendre. Il essayait de trouver en lui l'audace nécessaire pour aller jusqu'au bout de son projet.

Je l'ai regardé. Et tout d'un coup, je me suis apaisé. Il n'y avait rien d'autre à faire. Seulement attendre. Ne pas jouer une scène sentimentale interminable comme dans les films égyptiens romantiques des années 1950 que, adolescent, je regardais avec une grande patience à la télévision marocaine. Antoine ne ressemblait ni à Rochdy

Abaza ni à Choukri Sarhane. Et encore moins à Omar Sharif. C'était un homme français perdu, gros. Et je l'aimais encore. Rien que pour ces deux seules raisons. Le désespoir et la lassitude qui se dégageaient de lui quand je l'avais rencontré, c'était ce qui m'avait séduit. C'était ce qui m'avait sauvé. C'était ce qui allait me manquer après lui. Le corps blanc et généreux. L'âme triste qui ne fait plus semblant. L'individualité qui a le courage d'avouer qu'elle s'est trompée de chemin. L'individualité qui n'existe plus. L'individualité qui revient. Le monde en Antoine que je ne connais pas et qui est en train de revenir. À quoi bon lutter ? C'est perdu d'avance. Je renonce. Je renonce. Je reviens à madame Marty, rue de Turenne. Mes bruits. Ma folie. La Défense-Grande Arche seul. Tout le reste, seul. Nanterre. Pablo-Picasso. Oumayma et ses filles. La Clé du Paradis. Les pâtisseries algériennes. Ma cousine Majdouline à Bruxelles qui me manque tant depuis des années et que je n'appelle jamais. Majdouline perdue à Bruxelles. Majdouline, petite adolescente grosse et timide, à qui je pense très tendrement quand je veux parfois retrouver en moi une image heureuse et innocente. Je pense à elle en train de danser sur les chansons de Rihanna et d'Aaliyah.

Je reste un moment dans la danse de Majdouline. Son corps qui veut vivre et dépasser vite toutes les limites. Son corps qui ne cesse de réclamer de la nourriture et des boissons très caloriques. Elle s'en fout d'être grosse, Majdouline. Elle s'en fout de ce que les autres disent. Elle se protège en jouant parfaitement la timide. Et elle est belle quand elle bouge comme ça sur Rihanna. Elle me dit de faire le mouv' comme elle. Danse. Danse, Mounir. C'est tellement bien, Rihanna. Laisse-toi aller. Danse. Danse. C'est Rihanna. C'est *Rude Boy*. Danse. Je l'imite, Majdouline. J'ai besoin de son corps lointain, Majdouline. J'essaie. J'essaie de la suivre. Mais je n'y arrive pas.

Je renonce. Je baisse les bras.

Majdouline et sa musique s'éloignent. S'évanouissent. Je reviens à la réalité de ce que je vis. Ce moment devant l'enfer qui ouvre ses portes.

J'attends. Comme au départ, j'attends. Je crois qu'Antoine va ouvrir les yeux. Non. Il les garde fermés. Il tend ses mains vers moi. Lentement. Très lentement. Il touche mes cheveux. Mes oreilles. Mon visage. Mon cou. Ma nuque. Il remonte vers mon nez. Il s'y attarde un petit moment. Puis il se met à ouvrir mon manteau. Il dézippe mon gilet d'hiver. Il déboutonne ma chemise. Il caresse mon torse. Il passe ses mains sur toutes les parties. La poitrine, les tétons, les aisselles, le ventre, le bas-ventre. Il bifurque. Il se dirige vers le dos. Une main dégrafe le pantalon. L'autre se glisse dans le slip. Dans les fesses froides. Les deux mains font semblant de jouer à présent avec mes fesses qui se réchauffent. Cela prend un certain temps. Un doigt se glisse entre les deux fesses. Je bande. Je ne le veux pas mais je bande. C'est mécanique. C'est l'effet Antoine sur moi qui ne suis plus moi. Je bande pour de vrai. De plus en plus. J'ai honte. Si seulement il avait ouvert ses yeux à cet instant-là. Mais il persiste et signe. Les adieux se feront dans le noir. Le noir intérieur.

Nous sommes aveugles. Tous. Qui a prononcé ces mots ? Lui ? Moi ?

Antoine ramène ses mains vers mon ventre. Il les fait entrer de nouveau dans mon slip. Ses mains passent sur les poils, dans les poils, saisissent un petit moment le sexe bien dressé, qui n'en peut plus, descendent vers les couilles. Là, je suis saisi de dégoût. Envie de vomir. J'en ai marre de ce petit jeu. De cette étrangeté. Je le comprends, le message.

La dernière fois, donc. La dernière fois entre nous deux. Peau contre peau. Au revoir. Adieu. J'ai bien reçu le message. Merci. Tu peux partir. Tu peux disparaître à jamais. Sortir des toilettes. Sortir de ma vie. Sortir de la vie tout court. Vas-y. Va-t'en. Fous le camp ! Fous le camp, je te dis.

C'est ce qu'il fait.

Antoine garde les yeux fermés. Il me tourne le dos. Ouvre la porte. Sors. En refermant doucement la porte derrière lui. Merci beaucoup. Merci énormément.

Pleurer ? Pleurer encore une fois ? Pleurer sur qui et sur quoi exactement ? Ce qui vient de se produire me dépasse tout en m'étant familier. J'ai brisé des cœurs. On m'a brisé le cœur. J'ai envie de me venger. Je le ferai à ma manière et cela ne servira à rien. Jamais je ne sortirai de ce cercle infernal. De l'incompréhension éternelle. De l'impossibilité d'être. Aller jusqu'au bout pour voir tout, absolument tout, se briser vite, si vite.

Antoine n'est plus là. Mais, dans les toilettes, je sens encore son odeur. Sa sueur. Que je n'aimais pas trop et qui à cet instant précis me manque. Il est sorti de l'histoire. Du film. De nous deux. L'homosexualité plus ou moins assumée, finalement, ne l'arrange pas. Le manque de la famille, ses enfants, sa femme, des autres, est plus fort que tout. Il revient à eux. Il va reprendre son boulot. Un policier français qui défend bien comme il faut sa belle patrie aux très belles valeurs universalistes, qui protège les siens, ses concitoyens, et qui arrête sans aucun problème dans les rues les types arabes comme moi : contrôle routinier, il faut bien lutter contre le terrorisme islamiste qui menace la France, l'Europe, l'Occident. On ne sait jamais. Il faut se méfier des apparences. Elles sont trompeuses. C'est bien connu.

Antoine. Antoine. Si ça se trouve ce n'est même pas son vrai prénom. Tout le monde le fait de nos jours : pour vivre la liberté assumée, on ment, on se présente au monde, à l'autre, caché, crypté. Il n'y a que comme ça qu'on peut jouir. Jamais se livrer complètement. Toujours protéger ses arrières. Protéger les siens, les vrais, ceux qui ont la même origine que soi.

Ce n'est pas son vrai prénom. C'est évident. C'est logique. Je le vois si clairement maintenant. Antoine, c'est pourtant si beau comme prénom. Tout ce que j'aime en France est dans ce prénom. Antoine est une fiction. Il existe et il n'existe pas.

Je crois que maintenant je peux me laisser aller. Pleurer un bon coup. Chialer même. Me renier. Renier ma race. Renier cette maudite homosexualité, source de toutes les tragédies de ma vie. Source de cette putain de solitude. Source de cette atroce intelligence qui me fait tout voir et ne me défend jamais quand je suis en difficulté. Me fait rejeter le monde entier. Me laisse me noyer dans cette violence intérieure qui, si je ne trouve pas vite le moyen de la canaliser, va faire beaucoup de dégâts autour de moi.

Je ne suis pas pédé. Je ne suis pas pédé. Ce n'est pas vrai ce qu'ils disent. Je suis quelqu'un de bien, mieux qu'eux. Pédé, c'est une insulte. C'est sale. Pédé, ça ne mène à rien. Pédé, ce n'est pas musulman et ce n'est pas correct. Ma mère me l'a dit. Mon père a confirmé. Même les violeurs de mon quartier au Maroc, après avoir joui à plusieurs reprises dans mes fesses, sont de cet avis. Tu n'es pas pédé, Mounir. Et nous non plus.

Je récite tous les versets du Coran que je connais par cœur. Je les récite par cœur et vite. Vite. Automatiquement.

Dans les toilettes du Louvre, je fais la même chose. Il n'y a que cela pour aider à supporter l'insupportable. Ne pas mourir dans et devant ce vide terrifiant : Antoine est parti. Définitivement.

Oui. Oui. Je me souviens. Cela s'est passé il y a cinq minutes. Oui, c'est cela. Cinq minutes qui me paraissent maintenant comme une interminable éternité.

Antoine a gardé les yeux bien fermés et il est parti sans trop se révéler. Jusqu'au bout, il s'est protégé. Jusqu'au bout, j'ai fait l'amoureux.

Et là, là, les larmes coulent. Coulent. Je sors des toilettes. Je marche dans les salles du plus beau musée du monde. Je suis entouré des chefs-d'œuvre du monde. Et les larmes s'intensifient. Accentuent le désarroi. La perte. La mort qui se propage en moi.

Qu'est-ce que je fous ici, dans ce bled, sur ces terres, dans cette culture ?

Encore et encore les mêmes questions, les mêmes interrogations, les mêmes non-réponses.

Que faire ? Que faire ? Où aller reproduire de nouveau la stratégie de la fuite ? Où, dans ce Paris indifférent, reprendre la course solitaire ? Où se morfondre dans la douleur et l'apitoiement sur soi ? Où ? Où es-tu, madame Marty ? Tu me manques. Tu me manques tant. Il n'y a que toi qui puisses faire quelque chose pour me sauver avant qu'il ne soit réellement trop tard. Tu dors ? Tu dors ? Tu ne fais plus de bruit ? Mais pourquoi ? Viens. Prends ma main. Je suis comme paralysé à présent. Tu me vois ? Je suis assis sur le banc blanc à l'entrée de l'aile

Sully au musée du Louvre. Tu me vois ? Voici ma main. Voici ma tête. Fais quelque chose. Fais quelque chose. Je vais exploser. Et je vais exploser le monde tout autour de moi. Tu viens, madame Marty ? Tu descends l'escalier de l'immeuble de la rue de Turenne ? Fais vite. Je coule. Je n'ai que les versets coraniques pour me calmer. Soigner je ne sais quoi en moi. Je les dis et les redis en t'attendant. Madame Marty. Madame Marty. Il est parti, Antoine. Il est sorti. Il m'a largué et il a laissé en moi, sur mon corps, un message que je n'arriverai jamais à déchiffrer, des tatouages que je ne pourrai jamais enlever, effacer.

Antoine est vivant loin de moi. Je suis mort. Sans être complètement mort.

Fais vite, s'il te plaît, madame Marty. J'ai tellement besoin de toi. J'ai tellement besoin de ce lien étrange entre nous deux.

7

Majdouline

Tu me vois ? Tu me vois bien, Mounir ? La connexion n'est pas très bonne ici à Bruxelles. Le Skype peut s'arrêter à tout moment. Alors… alors, je vais directement au but, te dire ce que je veux de toi… D'accord ? Tu es là ? Bien là, je veux dire… Et tu m'entends ?

Écoute, Mounir. Écoute ce que ma mère, ta tante, veut faire de moi. Elle dit qu'elle est très inquiète, elle pense à mon avenir, à ce qu'une jeune fille comme moi va devenir ici, sans elle, chez les mécréants. Quand elle sera morte. Elle dit qu'elle ne dort plus la nuit et que c'est devenu une grande obsession pour elle. Un projet plus que sérieux. Elle veut me sauver. C'est son idée. Elle a presque 80 ans et il est temps d'organiser une cérémonie d'initiation. Je ne sais pas ce qu'elle veut dire par là. M'initier à quoi ? Je lui ai posé la question et elle a parlé de deux femmes marocaines ici à Bruxelles qui ont un certain pouvoir. Le pouvoir de parler avec ceux qui sont cachés, qui sont derrière le rideau. Pas les esprits. Non. Non. Il s'agit d'autre chose. Ta tante veut que ces deux femmes, vieilles comme elle, me donnent la protection pour plus tard. Elles en ont la capacité. Elles savent, elles savent. Elles font bouger les pierres. Et elles parlent même avec les chiens.

Ta tante, ma mère, n'a pas besoin de me convaincre de ce genre de chose, ce genre de présence. J'y crois moi aussi évidemment. Le monde n'est pas le monde. Ce que nous voyons n'est pas ce que nous voyons. La raison n'est qu'une illusion. Quelque chose de plus grand, de plus fort, est là tout autour de nous, en nous, en permanence. Nous ne le voyons pas et pourtant nous nous comportons comme si nous comprenions tout, comme si nous étions les véritables Maîtres de la Terre, de l'Univers, de la vie.

Elle m'a écoutée et elle a dit que je parlais comme une institutrice mais que, au fond, elle et moi, nous disions la même chose.

Les Maîtres, ce n'est pas nous. N'oublie jamais ça, Majdouline. Ma petite et tendre Majdouline.

Elle a essayé de m'attendrir pour me faire accepter son plan. Cela n'a pas marché. Je ne veux pas aller avec elle voir les deux sorcières marocaines. Je ne veux pas de leur protection. Je crois qu'elles vont voir ce qui se cache, ce que je cache, et le dire à ma mère. Et ça, c'est impossible. C'est impossible. Cette vérité ne peut pas être dite comme ça. Il n'y a pas de mots pour ça. Et je ne veux pas la dire, cette vérité. Ni à ces sorcières ni à ma mère. Il n'y a aucun mot juste pour exprimer cela, ce que je suis, ce que j'ai vécu. Ni en arabe ni en français. Ni en turc. Non. Cette histoire est à moi. À moi. C'est l'essentiel de moi, ce que j'ai vécu de plus important jusqu'à présent. J'ai tout juste 19 ans, c'est vrai, mais je connais déjà tout ce qu'on peut vivre ici. La vie n'est déjà plus rien pour moi. J'ai perdu moi aussi, ça y est. On m'a abandonnée, ça y est. Irem n'est plus là.

Irem n'est plus là, Mounir.

Sans connaître tout de ce qui s'est passé, ta tante devine que je suis en danger en ce moment. Et c'est vrai, Mounir. Je suis en danger. Mais ce qu'elle propose pour m'aider ne me convient pas du tout.

Elle veut me marier. Elle veut choisir elle-même un homme marocain pour moi. Elle veut me garantir une vie digne dans les vraies valeurs, ses valeurs à elle, pas les valeurs des gens d'ici, d'Europe, d'Occident. Elle dit qu'elle connaît de l'intérieur ce monde blanc. L'intérieur de l'intérieur même. Et il est hors de question pour elle de les laisser gagner encore une fois. Elle a été bonne et femme de ménage ici à partir des années 1970. Tu le sais, Mounir. Tu connais l'histoire de la vie de ta tante. Son mari qui la battait, qui se droguait et qui ne foutait rien. Quand ils ont émigré à Bruxelles, il a immédiatement cessé de faire l'homme marocain digne de ce nom. Une femme, ça gagne plus en Europe. Il a poussé ta tante sur le marché du travail. Et pas seulement pour faire la bonne chez les bourgeois. Tu sais comme moi ce qu'elle a été obligée de faire au début. Tu sais. Nous le savons tous dans la famille, mais nous ne pouvons pas parler de ce passé devant elle. La honte. La honte absolue. Une mère de quatre garçons mise sur le trottoir par son propre mari. Tu te rends compte ? Heureusement pour elle, il est mort d'un coup et assez vite. Elle dit : Il est mort d'une overdose. Moi, je pense que c'est autre chose. La sorcellerie marocaine l'a sûrement aidée, ta tante, à se débarrasser de lui. À l'empoisonner petit à petit. Tout mélanger avec la drogue qu'il prenait jour et nuit et faire passer tout cela pour une overdose. Mais bon… je ne la juge pas… je n'étais pas là avec elle à l'époque. Je n'étais même pas née. Et cet homme n'est pas mon père. Ta tante a fait ce qu'elle avait à faire pour survivre. Tuer. Peut-être. Devenir après une esclave dans les maisons des bourgeois de Bruxelles pour pouvoir élever seule ses quatre garçons.

Le monde d'ici m'a tout pris, me dit-elle souvent. Mes garçons ont fini par croire complètement aux valeurs d'ici, à ce que disent les gens d'ici, et ils ont finalement oublié que ce sont ces mêmes gens d'ici qui pendant des années et des années ont exploité leur propre mère. C'est ça, la tragédie absolue. Pire que l'autre, le mari qui me cognait. Mes fils m'ont reniée après que j'ai tout fait pour leur faciliter la vie. Ils ont étudié. Ils ont réussi. Ils sont grands et à l'aise. Ils ont épousé des femmes blanches. Ils ont honte de moi et du monde que je porte en moi. Pas les mêmes valeurs, ils disent. Ils ne sont pas libres, les gens là-bas, au bled. Ils n'ont pas de droits. Et quand je leur rappelle ce que j'ai subi ici même, à Bruxelles, pour eux, pour les élever, pour les protéger, ils ne disent rien. Et j'ai alors l'impression qu'ils ne sont plus mes fils. Même mon prénom, Daouiya, leur fait honte maintenant. Ça fait campagnard. Ça fait plouc, pas cultivée. Ça fait immigrée arriérée, bonne à se faire exploiter, pas à être invitée à la même table qu'eux.

Ta tante dit qu'elle a raté sa vie. Elle ne veut plus les voir, ses fils. Ni eux ni leurs enfants. Ni leurs femmes. Marie. Fanny. Catherine et Jane. Elle ne les supporte plus.

Elle dit qu'elle va tout laisser pour moi. Les deux maisons à Casablanca et tout l'argent qu'elle a sur ses trois comptes bancaires. Beaucoup, beaucoup d'argent, tu verras. Tu verras, Majdouline. Tu verras que je pense à toi et que je ne veux pas que tu te perdes, toi aussi, ici. Ça suffit comme ça, la perte de mes fils me suffit. J'ai tout fait pour eux, et eux, ils me tournent le dos. Ils ne viennent même plus me voir. Ils disent que soit j'accepte qu'ils viennent avec leur femme soit ils ne viendront plus.

Après ma mort, Majdouline, ils vont entrer dans ta tête et te changer. Te changer pour que tu deviennes comme eux.

Après ma mort, tu vas me renier toi aussi, Majdouline. Quelle honte pour moi. Quelle tragédie. Dans la mort, seule, personne qui prie pour moi. Personne qui pense à mes sacrifices et aux humiliations que j'ai subies. Personne pour faire vivre mon âme, nos croyances. Mes croyances.

Elle dit tout cela depuis trois mois, Mounir. Je la comprends et je ne la comprends pas. Je sais ce qu'elle a vécu.

Et je sais que ses fils se sont révélés pires que tout. Ils ne veulent même plus qu'on parle d'eux comme des Arabes. Tu te rends compte, Mounir ? Et ça, ça la tue, ta tante.

Je la comprends mais ce qu'elle propose ne me convient pas du tout. Pas du tout.

Elle veut vraiment me marier à un homme marocain d'ici, de Bruxelles. Elle en a déjà choisi trois qui remplissent les conditions nécessaires, obligatoires. Elle veut leur faire passer une sorte de casting, la semaine prochaine.

Un casting. La semaine prochaine.

Tu dois venir, Mounir, pour me sauver de ce désastre. Je n'ai que 19 ans, moi. Et il n'y a que toi qui peux comprendre. Tu n'es pas loin. Paris, c'est juste à côté en Thalys. Viens. Viens. Tu dois. Mes frères ne feront rien. Ils s'en foutent et ce ne sont pas eux qui réussiront à convaincre ma mère de laisser tomber ce projet de mariage. Il n'y a que toi, Mounir. Tu dois oublier ce qui te gêne et venir parler à ta tante. Je sais qu'elle n'accepte pas ton… ton… identité… ce que tu es… ce que tu aimes… mais le temps a passé. Tu as grandi. Tu as 40 ans. Elle ne pourra rien changer en toi maintenant. Moi, avec moi, elle a encore un peu de temps. Elle espère tout bien faire avec moi. Elle espère me sauver.

Je ne sais pas si elle sait pour moi. Peut-être que oui, peut-être que non.

Je suis comme toi, Mounir.

Pardon de le dire comme ça, directement. Pardon.

Tu dois venir à Bruxelles. Me sauver. Parler pour moi. Régler tout ça et, s'il te plaît, me ramener là où ta tante m'a trouvée. À Ouazzane. La ville d'Ouazzane. C'est dans cette ville qu'elle m'a adoptée. Tu t'en souviens ?

Je suis comme toi, Mounir.

Tu es comme moi.

Tu le sais ?

Nous avons dansé ensemble. L'été 2010. Tu as appelé au téléphone le matin tôt et tu as dit : J'ai envie de couscous, ma tante. Le couscous de ma mère préparé par les mains de sa sœur. Tu as pris le premier train que tu as pu trouver. Quatre heures plus tard, tu étais là. Tu as passé avec nous trois jours. Je me rappelle tout ce qu'on a fait. Ta tante a fait le couscous deux fois, le premier jour et le troisième jour. Le couscous sans y ajouter des pois chiches et sans trop de beurre rance. N'est-ce pas ? C'est comme ça que tu l'aimes toujours ?

Nous avons dansé sur *What's My Name ?* de Rihanna. On a inventé une chorégraphie sur sa musique. Moi, j'aimais aussi *Rude Boy*. Et toi, tu adorais *Russian Roulette*. Quand ta tante sortait pour faire des courses, nous, on passait d'une chanson de Rihanna à une autre. La joie, le soleil, le mouvement, la fièvre. Et on finissait par ta chanson, quelque chose d'un peu trop triste pour moi et que je ne comprenais pas à l'époque. Sept ans plus tard, je comprends chaque mot et chaque rythme de *Russian Roulette*. La vie a fait sa loi. Si vite. Si vite. Moi aussi j'ai déjà perdu. Et moi aussi je ne sais plus comment continuer à vivre.

Vivre sans Irem et sa belle peau.

Vivre sans ma fille turque, mon amie turque, ma sœur turque, est vraiment impossible.

Je ne pourrai plus jamais écouter Rihanna à présent. Irem l'aimait elle aussi, bien plus que moi.

Irem n'est plus là.

Elle est où ?

Tu dois venir, Mounir. Ta tante est folle. Et moi, je me rapproche de plus en plus de la dépression délirante. J'ai trouvé ces mots sur Google. Dépression. Délirante. Je crois que c'est pour moi.

Ta tante veut guérir ma tragédie par une autre tragédie. Je ne veux pas me marier. Je n'ai que 19 ans. 19 ans, putain ! Elle dit que c'est comme ça, que je comprendrai un jour que c'est elle qui avait raison. Tu es petite, Majdouline. Tu n'aimes plus l'école. Tu as redoublé au lycée je ne sais combien de fois. Tu as obtenu le bac, ça suffit comme ça. Je vais te ranger, arranger ta vie, et je m'assurerai que ton futur mari ne te volera pas ton argent. Ce que tu hériteras de moi bientôt sera à toi pour toujours.

Mais pourquoi le mariage, maman ? Et avec un homme, en plus ?

Elle ne peut pas m'entendre. Elle ne veut pas. La nuit, elle ne dort que deux ou trois heures. Elle se lève à 4 heures du matin et elle fait le ménage dans l'appartement qui n'en a pas besoin. Elle lave, récure, passe la serpillière partout. Et tout. Et tout. Parfois elle me réveille et elle m'oblige à l'aider. À nettoyer ce qui est déjà propre. Ce n'est pas grave, Majdouline, comme ça tout sera encore plus propre. Propre propre.

Elle est folle. Elle me parle encore et encore des trois hommes marocains qu'elle a choisis pour moi.

Hassan le Rifain qui possède une épicerie.

Samir le Fassi qui travaille à la préfecture.

Mounir le Slaoui qui finira ses études d'ingénieur en informatique cet été.

Elle les connaît tous depuis plusieurs années. Ils lui doivent tous quelque chose. Elle les a aidés, quand ils sont arrivés en Belgique, à obtenir leurs papiers. Et eux, pour la remercier, ils lui ont donné à plusieurs reprises un coup de main dans ses différents trafics. Tu la connais, Mounir, ta tante a le sens des affaires. Elle n'a jamais hésité devant rien. L'Occident et ses lois ne lui font pas peur. Elle dit : Ils m'exploitent et moi, à ma manière, je me venge. Ils m'ont pris ma force et ma jeunesse, je leur prends une petite partie de leur argent. De toute façon, ce ne sont pas mes minuscules trafics à moi qui vont les appauvrir. Non. Oh que non ! C'est ce qu'elle dit pour se justifier et pour donner encore un sens à sa vie qui se finit. Les trois hommes marocains sont comme elle. Les mêmes valeurs. Les mêmes visions d'avenir.

Je ne la juge pas, ma mère. Je la comprends même. Son désir de vengeance est plus grand, plus fort que tout. On l'a trahie si souvent. Ses parents. Son mari. Ses employeurs bourgeois. Ses quatre garçons surtout. Elle n'en revient toujours pas de ce qu'ils lui ont fait. Mes propres fils m'ont tuée. Il n'y a plus rien à espérer. Plus rien à espérer.

Il n'y a que moi à présent, Mounir. Et elle ne voit pas que ce qu'elle veut faire pour moi va tout détruire. Absolument tout. Elle ne le voit pas. Elle me rappelle sans cesse que c'est elle qui m'a sauvée de la pauvreté au Maroc en m'adoptant.

Tu connais l'histoire, Mounir, non ?

J'avais 7 ans. Je marchais dans les ruelles de la vieille ville d'Ouazzane, pas loin de chez moi. Ma première mère m'avait dit qu'il fallait que je ramène de l'argent. Débrouille-toi, Majdouline. C'est là, à ce moment précis où je ne sais quoi d'autre d'atroce aurait pu m'arriver, qu'elle m'a trouvée. Ta tante m'a dit plus tard que ce sont mes pieds nus qui avaient attiré son attention sur moi. Une petite fille pieds nus qui semblait perdue dans la vieille ville d'Ouazzane. Perdue sur cette terre. Dans ce pays. Le Maroc. Elle m'a abordée. M'a posé quelques questions. M'a emmenée au mausolée du saint Moulay Touhami qu'elle était venue visiter spécialement à Ouazzane. Après, elle m'a acheté des sandales rouges. Je les ai mises. Et je l'ai amenée, ta tante, chez nous.

Je crois que ça a été comme un coup de foudre. Pour elle comme pour moi. Le ciel s'est ouvert et a rendu possible ce miracle.

Tu m'as sauvée, ma petite Majdouline. Tu es apparue au bon moment. La solitude à Bruxelles était en train de me tuer. Tu m'as sauvée.

Elle m'a sauvée elle aussi, Mounir.

Mais aujourd'hui elle perd la tête. Elle dit que c'est la voix dans sa tête qui lui dit ce qu'il faut faire et qui lui conseille de choisir l'ingénieur Mounir le Slaoui comme mari pour moi.

Elle a toujours entendu des voix. Elle me racontait souvent le matin, au petit déjeuner, avant que je ne parte à l'école, ce qu'elles lui disaient, ces voix. Les histoires, les chemins, les couleurs, l'avenir, l'autre monde, l'autre vie. Ce qu'il y a quand le rideau se lève. Quand il n'y a plus de Grand Voile.

Ta tante est déjà de l'autre côté, Mounir. Elle ne tient plus compte de la réalité d'ici, de la réalité de notre monde.

Elle m'a sauvée. Je l'aime. Et j'aime cette fille, cette Majdouline, qu'elle a faite de moi.

Elle m'a tout donné. Je l'admets. Je dis et je dirai toujours merci. Merci merci. Mais là, là, ce n'est pas dans mon pouvoir. Rien en moi ne peut suivre ce chemin qu'elle s'acharne à vouloir ouvrir devant moi.

Je ne peux pas lui dire la véritable raison. Ce qui s'est passé réellement avec Irem. Je ne peux pas. Elle ne comprendra pas. Toi, Mounir, je le sais, tu comprendras.

Je vais te dire qui est Irem. Où est Irem.

Tu m'entends toujours ? Le Skype marche de ton côté aussi ? Tu n'as pas disparu ?

Pardon. Pardon. Je prends beaucoup de ton temps. Mais je n'ai que toi, Mounir. Je ne t'ai pas vu depuis très longtemps. Depuis le couscous à Bruxelles. Depuis *What's My Name ?* de Rihanna. De loin, j'ai suivi ta vie, les échos de ce qui t'arrivait.

Par je ne sais quel étrange destin, je suis comme toi. Je te ressemble. Et je veux te le dire.

Irem.

Le père d'Irem, qui était si beau, si tendre, si gentil. Il m'a écrit de là où il est maintenant. La prison. Il est en prison pour très très longtemps. Il m'a envoyé un long SMS où il me demande de venir lui rendre visite en prison. « Il n'y a que toi qui me restes comme trace vivante d'Irem. » C'est ce qu'il a écrit et cela me fait tellement peur.

Aller le voir après ce qu'il a fait. Après qu'il les a tous liquidés, tués. C'est hors de question. Ça serait une trahison immense de tout ce que j'ai vécu avec Irem. Sa mémoire. Sa douceur. Son amour. Sa petite voix.

Je n'ai pas répondu au père, bien sûr. Mais hier, hier, j'ai rêvé d'Irem. Elle est venue dans mon sommeil et elle a dit que je devais aller voir son père en prison. Elle a dit aussi qu'il fallait savoir pardonner. Son SMS est sincère, Majdouline. Va voir mon père en prison et c'est moi qui serai en face de toi. Moi en lui, lui en moi.

Irem est partie. Irem est morte. Irem a été assassinée.

Il y a à peine un an.

Et je dois déjà accepter complètement cette réalité ? Cette terrible absence ?

J'ai dit non à Irem. Non. Je n'irai pas voir ton père en prison. C'est un meurtrier.

Alors elle m'a giflée. Je me suis réveillée en pleine nuit. La gifle avait l'air réelle. Je me suis rendormie. Irem était toujours là. Elle caressait ma joue.

Fais-le pour moi, Majdouline. Va le voir. Va le voir.

Je n'y arriverai pas, Mounir. Pas seule. Je veux que tu viennes avec moi, s'il te plaît. Je tremble en te révélant tout cela. Tout mon corps est comme une barque qui prend l'eau, très lentement. Viens, Mounir. Viens avec moi passer cet examen terrible, cette épreuve terrifiante.

Regarder un assassin dans les yeux. Partager avec lui un moment. Les mêmes souvenirs que nous avons tous les deux d'Irem. Les mêmes ?

C'est lui qui l'a tuée et qui a tué ses deux petits frères. Et aussi l'homme blanc, l'amant non musulman de la mère.

C'est un tueur. Un tueur. Il m'a pris Irem. Il m'a tuée moi aussi.

Je ne sais pas comment je vais survivre à tout cela. Quoi faire. Ta tante est au courant, bien sûr, de ce qui est arrivé à Irem. Elle dit qu'avec le temps je vais oublier. Que je vais m'apaiser. Il faut passer à autre chose. Il faut que tu te maries, Majdouline. Ça va t'occuper l'esprit, le mariage. Ça va te sauver. Crois-moi.

Je ne la crois pas du tout, ta tante. Elle ne connaît pas toute la vérité. Et même si elle venait à être au courant de tout, elle ne l'accepterait pas.

J'ai envie de la lui crier, cette vérité. Peut-être qu'à ce moment-là elle laisserait tomber ce projet de mariage.

Je suis bloquée quand je suis devant elle. Je suis envoûtée, ensorcelée. Je fais la jeune fille bien comme il faut. Majdouline qui a eu de la chance d'être sauvée de la pauvreté marocaine et qui vit au cœur même du premier monde. L'Europe. Bruxelles. La liberté. Les lois. La justice. La démocratie.

Une jeune fille qui ne comprend pas tout de la vie et comment elle fonctionne. C'est ce que je suis pour ma mère, ta tante.

Sauf qu'Irem m'a ouvert les yeux. La tragédie d'Irem m'a fait voir le fond des choses. Le fond de cette existence.

L'amour d'Irem m'a donné, et me donne encore, le vertige.

Ta tante est dans une autre logique. La mort qui se rapproche d'elle la rend plus intransigeante que jamais. Têtue. Aveugle même, je crois. Quoi que je dise, elle ne m'écoutera pas.

Toi, Mounir, tu leur as imposé le scandale, la honte, ton homosexualité. Ils ont crié, ils t'ont rejeté, ignoré. Banni. Mais, avec les années, ils se sont calmés. Ils sont revenus à toi. Ils t'acceptent comme tu es, à présent. Ils ne veulent rien savoir de ta vie amoureuse, sexuelle, mais tu es Mounir et tu es à eux. Tu leur appartiens quoi qu'il arrive. Ils ont fini par se rendre compte qu'il y avait un lien réel entre vous. Un lien qui vous unira toujours. Toujours.

Tu as l'expérience de cela, Mounir. Je veux que tu m'aides à échapper au piège du mariage, au piège de la liberté, aux pièges de l'amertume et du désespoir qui montent, qui montent en moi.

Irem était une brise. Une fille turque à la peau si blanche.

Je l'ai connue durant la première année du collège. Je ne faisais pas vraiment attention à elle. Une fille comme une autre dans une classe où il y avait plus de filles que de garçons.

Irem. C'est elle qui m'a choisie.

Elle est venue vers moi et elle m'a proposé une petite aventure. L'accompagner deux fois par semaine, au moment du déjeuner, dans sa tournée, pour vendre des fleurs dans les restaurants de Bruxelles. Toi avec moi, on va gagner plus, plus d'argent, Majdouline. Je partagerai moitié-moitié avec toi.

Elle faisait ce petit job, seule, depuis plus d'un an. Et comme elle s'était aperçue qu'elle n'arrivait plus à vendre les fleurs aussi bien qu'au début, elle avait eu cette idée : deux filles adorables qui vendent toutes les deux, en couple, des fleurs dans les restaurants.

Irem m'avait dit qu'elle avait eu cette idée le jour où j'étais arrivée en classe très en retard. Pendant que le professeur me faisait des remontrances, elle avait pensé soudain à l'effet que cela produirait sur les gens de voir deux filles immigrées, deux musulmanes, qui vendaient des fleurs. Cela les attendrirait sûrement et les pousserait à acheter des fleurs. Plus de fleurs.

J'ai dit oui, très vite.

On avait 12 ans toutes les deux.

La Belgique, j'ai fini par m'y attacher vraiment grâce à Irem. Elle était née à Bruxelles et son monde tournait principalement autour de la communauté turque. Et de sa famille, bien sûr : sa mère qui n'était pas voilée, son père épicier et ses deux petits frères.

La liberté, c'était ce temps volé deux fois par semaine au moment du déjeuner.

La liberté, c'était l'argent qu'elle ramenait à son père qui, en retour, l'autorisait à sortir parfois. La liberté, c'était venir me voir chez moi. Aller ensemble au cinéma. Parler sérieusement, longuement, de Kristen Stewart et de Robert Pattinson, des chansons turques et des chansons arabes. Et de temps en temps, rien que toutes les deux, se rendre au hammam près de la gare du Midi.

L'amour est arrivé là, Mounir, dans ce lieu public. Entourée de plusieurs femmes, je lavais Irem. Et elle me lavait. Je grattais sa peau, je la massais. Elle me faisait la même chose. Avec la même précision, la même force. La même délicatesse.

Dans la lenteur. Ensemble.

Je lavais aussi ses cheveux. Je les shampouinais et je les frictionnais. Je versais dessus de l'eau chaude à l'aide d'un gobelet en plastique vert.

Irem aimait ce moment plus que tout : mes mains autour de sa tête, sur son crâne, sur son visage. Mes mains qui touchent, qui voyagent, qui aiment, qui caressent et qui soulagent de je ne sais quoi.

Moi aussi j'ai fini par m'attacher particulièrement à ce moment où elle s'abandonnait à mes mains et à mon énergie.

Tout était possible mais on n'allait jamais plus loin que cela.

Que désirer d'autre ?

Presque nues, on s'allongeait par terre. L'une à côté de l'autre. Le sol était chaud. Le sol était brûlant. Le feu délicieux. Et cela faisait du bien. Un bien fou, Mounir.

Dans la salle de repos, on dormait un peu. On se réveillait. On mettait des habits propres en se regardant et en se souriant.

On était heureuses. Loin de cette terre et très heureuses.

Que désirer d'autre ? Le sexe ?

Non. Ce n'était pas encore le moment entre elle et moi. Et pas parce que nous étions jeunes. Non. Ce n'était pas le bon moment. Ce n'était pas le plus important.

Au Maroc, je détestais les hammams. À Bruxelles, certaines semaines, il n'y avait que ce lieu, que ce rendez-vous, qui pouvait me guérir et m'emporter, m'aider à supporter le noir et à construire quelque chose. Avec ma mère, ta tante. Avec Irem surtout.

Quand on entrait dans les restaurants, bras dessus bras dessous, les gens étaient émus. La ressemblance physique entre Irem et moi les surprenait et les touchait. Certains, au moment de payer les fleurs, nous touchaient le visage, les épaules, les mains. D'autres nous disaient des choses étranges, bizarres, qu'on analysait avec joie plus tard.

Notre couple provoquait l'excitation heureuse autour de lui. Deux jeunes filles musulmanes pas voilées qui vendent des fleurs et pas seulement des fleurs. Deux tendresses qui marchent et qui bouleversent les gens. Le cœur des gens.

L'argent, tout l'argent, on le ramenait au père d'Irem, qui nous attendait dans son épicerie turque. C'est lui qui achetait les fleurs et qui, au lieu de les laisser pourrir dans sa boutique, avait eu l'idée de les confier à sa fille pour qu'elle les vende dans les restaurants.

Irem aurait pu de temps en temps voler un peu d'argent. Elle ne le faisait jamais.

Papa m'a bien élevée. Papa ne mérite pas que je lui mente. Papa est un bon papa.

Elle parlait comme ça, Irem. Comme un fleuve qui coule droit. Pure, elle disait facilement toute la vérité. Et rajoutait souvent : Nous sommes nus devant le ciel.

Son papa est devenu mon papa. Celui que je n'ai jamais connu au Maroc.

Son papa, on l'appelait Baba Sinan.

C'est beau, Mounir, ces deux mots, Baba Sinan. Non ? Je les ai adoptés très vite.

Baba Sinan aimait sa femme et ses enfants. Il n'était pas comme certains hommes turcs. Il n'était pas fermé et il ne se sentait pas menacé par les autres, ce que disent les autres, ce que prétendent les autres, ce que les autres aiment ou pas. Baba Sinan disait que si sa femme ne voulait pas porter le voile, il était avec elle, de son côté, ouvertement, pas dans le silence. Il la défendait au milieu des autres hommes de sa communauté. Il l'aimait, sa femme, il l'aimait réellement. Bien plus que nous, les enfants, disait parfois Irem.

Baba Sinan nous donnait la moitié de l'argent qu'on gagnait en vendant les fleurs. C'est lui qui divisait, à chaque fois, cette part entre Irem et moi. Il le faisait devant nous. Il mettait les pièces et les billets sur le comptoir. Il les comptait deux fois et les partageait équitablement, sans jamais favoriser sa fille.

Le voir accomplir cette répartition était à chaque fois magique. Nous étions trois associés. Nous avions une affaire ensemble. Un petit commerce. Un business. Et il y avait de la confiance entre nous.

Dans le message qu'il m'a envoyé de la prison, Baba Sinan m'a rappelé cela, ce lien entre nous trois. Il sait que je n'ai pas oublié. Il sait que, même après ce qu'il a fait, le crime, je vais aller le voir. Il le sait. Il le sait.

Il sait que je n'ai pas oublié le goût du chocolat Kit-Kat qu'il nous offrait systématiquement, à Irem et à moi, après le partage de la recette.

On sortait de l'épicerie. On marchait dans les rues de Bruxelles sans vraiment y prêter attention. On ne disait rien. On mangeait le chocolat KitKat. En même temps. Et très très lentement.

Baba Sinan est devenu fou. Et je ne peux que le comprendre. Ce qu'il a fait est atroce. Atroce, Mounir. Mais je peux comprendre ses raisons, sa logique. Je vois très clairement le chemin qui l'a mené jusqu'au crime. Il ne pouvait vivre seul. Passer le reste de sa vie seul. Sans eux. Sans eux.

Sa femme lui a annoncé qu'elle voulait divorcer.

Il n'avait rien vu venir, pauvre Baba Sinan. Irem, elle, n'était pas du tout surprise.

Sinan, de milieu modeste, campagnard, aimait Fatima la stambouliote. Sinan faisait tout pour être à la hauteur de sa femme et de sa famille bourgeoise. Il travaillait dur, vraiment dur, mais pour les autres membres de la famille de Fatima il n'était qu'un épicier. Un campagnard. Un plouc.

Fatima l'a aimé, à sa façon. Et elle lui a donné trois beaux enfants. La joie de son existence, disait-il.

Mais même à Bruxelles, loin de la Turquie, l'écart social du départ avait fini par grandir, par devenir infranchissable. Ce qui les séparait à l'origine allait de nouveau les séparer après seize ans de vie commune.

Fatima s'ennuyait. Sinan était tout le temps dans son épicerie. Et les enfants étaient très pris par leur vie scolaire et parascolaire.

Ce qui est arrivé arrive chaque jour dans ce monde.

Fatima est tombée amoureuse du voisin. Fernand. Un avocat de cinq ans plus jeune qu'elle. Ils ont été amants pendant un an sans que personne s'en aperçoive.

Et puis, Fatima en a eu marre. Cette double vie et les mensonges ne lui convenaient plus. Elle voulait vivre avec Fernand. Se marier avec Fernand. Divorcer de Sinan.

Sinan a pleuré durant une semaine. Il n'arrivait pas à y croire, Mounir. Pauvre Sinan. Il avait honte devant sa femme qui lui racontait les détails de son histoire avec Fernand.

Il ne parvenait pas à croire que c'était bien sa femme Fatima, la mère de ses trois enfants, qui était en train de lui parler ainsi. À lui. Encore son mari. Lui parler de l'amour qu'elle avait pour un autre homme, pour un homme blanc, non musulman. Fernand. Le Fernand qu'il connaissait bien et qui était même un de ses clients fidèles.

Le choc a été trop fort. Trop dur. Bien au-delà de Sinan et de ses capacités de résistance.

Il est parti, Sinan. Il a disparu. Pendant une semaine. On ne savait pas où.

Puis il est revenu. Et il a dit à Fatima que, puisqu'elle ne voulait plus de lui, il était d'accord pour divorcer.

Tout s'est passé rapidement, calmement. Baba Sinan n'a posé aucun problème. Il ne venait plus dans l'appartement. Il dormait dans l'épicerie.

Irem avait mal, très mal, pour lui. Et moi aussi.

Il était absent de lui-même et du monde, incapable de vivre dans sa nouvelle réalité.

Il avait un espoir : que le juge lui accorde la garde des enfants. C'était logique, puisque c'était Fatima qui était à l'origine du divorce.

Sinan voulait continuer sa vie en baba célibataire entièrement dévoué à ses enfants. Il a dit devant le juge qu'il n'allait pas se remarier.

Le juge a dit non. Les enfants restent avec Fatima.

L'enfer a commencé après ce verdict. Un enfer froid. Très froid.

Pour Sinan, il était très difficile d'admettre que ses enfants allaient désormais vivre avec l'autre. L'homme blanc. Le non-musulman. Fernand qui l'avait remplacé dans le cœur de Fatima et avait détruit tout dans sa vie.

Les enfants de Sinan étaient musulmans et devaient être élevés comme des musulmans.

Sinan savait qu'une telle vérité, une telle évidence, était presque inacceptable dans le monde européen. C'est une vérité de gens arriérés, de musulmans depuis plusieurs siècles en retard sur le reste du monde et qui s'accrochent toujours à cette autre chose, cette religion-prison qui les tue, les aveugle et les pousse de plus en plus à se radicaliser. À se venger de cette humiliation éternelle qu'on ne cesse de leur imposer.

Mounir, il comprenait, Sinan. Il suivait ce qui se passait. Il écoutait très attentivement les informations. Et il n'était pas d'accord avec tout ce qu'il entendait, tout ce qu'on disait sur des gens comme lui. Comme nous. Il ne parlait pas aux autres de tout cela. Il savait très bien que certains allaient facilement le juger, le condamner.

Baba Sinan parlait à Irem et à moi.

Et je crois que c'est pour cela qu'il me demande aujourd'hui de venir lui rendre visite en prison. Il sait très bien que je ne l'ai pas oublié, qu'il est encore tout au fond de mon cœur. Il sait que, quelque part, je le comprends.

Que je comprends la folie qui s'est emparée de lui. Que je pleure exactement comme lui.

Je ne suis pas un assassin, Majdouline. Pas un assassin. L'ennemi est entré chez moi et m'a tout volé. Absolument tout volé. Ma maison. Mon foyer. Ma femme. Ma famille. Mes enfants. Ma religion. Tout ce que je suis. Tout ce que je suis, Majdouline. L'ennemi m'a déplacé. M'a colonisé. Et il ne m'a même pas adressé la moindre excuse. Du jour au lendemain, je n'étais plus rien. Juste un musulman qui leur fait peur.

Fatima a gagné sur tous les plans. Le juge était de son côté. Les lois étaient de son côté. La modernité était de son côté. Gagnante. Largement. Musulmane libre, libérée, non voilée, et qui vivait exactement comme ils veulent ici que les femmes de chez nous vivent pour qu'ils les acceptent.

La vie pour eux n'est digne d'être vécue que selon leurs critères à eux, leur point de vue à eux. Nous : des barbares. Des barbares, bien sûr. C'est l'unique case qu'ils nous laissent. Faire les sauvages pour les divertir.

J'ai soutenu Fatima quand sa famille voulait lui imposer le voile. Je leur ai dit : Moi, son mari, je suis d'accord avec sa décision, elle ne doit pas se voiler, elle doit faire ce qui lui paraît juste.

Ces mots m'ont rendu faible, très faible, dans ma propre famille.

Et après tout cela, tout cet amour pour elle, tous ces sacrifices pour elle, Fatima tombe amoureuse de l'autre, elle vient me l'annoncer et elle exige le divorce. Et moi ? Et moi dans tout cela ? Fallait-il que je sois moderne selon leurs critères à eux, même quand elle était en train de me tuer, de me planter chaque jour un couteau dans le cœur ?

Fatima m'a tué.

Ma famille me regardait comme un moins-que-rien. Un être absent. Un homme absent. Qui ne compte plus. Ne comptera plus jamais. Ma famille, Majdouline, je m'en fous. Mais mon cœur, je ne m'en fous pas.

Le cœur de Sinan rempli d'amour débordant pour Fatima et leurs trois enfants. Même quand il était en train de les tuer, il le faisait par amour. C'est ce qu'il a répété plusieurs fois au tribunal.

Il les ramenait à lui, dans la mort à lui. Qu'ils se retrouvent vite, comme avant. Dans l'amour comme avant. Dans l'amour et la mort.

Il a d'abord tué Fernand. D'homme à homme. Il l'a regardé. Il s'est présenté à lui alors qu'ils se connaissaient. Je suis Sinan Boz. Bonjour. Bonjour. Et il a tiré. Au milieu du front et de très près.

Ensuite, les trois enfants. Il les a drogués. Et il les a étouffés. Très lentement. Très gentiment.

Sinan n'est pas reparti. Il a attendu le retour à la maison de Fatima pour lui montrer ce qu'il avait fait.

Il n'a pas tué Fatima, Mounir. Il n'a jamais eu l'intention de la tuer. Il voulait juste la punir. Lui donner une leçon. Qu'elle éprouve ce qu'elle lui avait fait subir. Qu'elle endure ce qu'il avait enduré. Le vide d'être en vie, encore en vie. Seule. Sans eux. Sans personne.

Sinan seul. Fatima seule. À égalité. Aucun gagnant. Vous pouvez me juger maintenant. Me condamner maintenant. Soyez féroces, messieurs les juges. Pas de clémence pour moi. J'assume ce que j'ai fait.

C'est ce qu'il leur a dit au tribunal, Mounir. Non seulement il a tout reconnu, mais il les a aussi suppliés de ne pas se montrer faibles envers lui. Je sais ce que j'ai fait, pourquoi je l'ai fait, et je veux être sincèrement et très sévèrement puni. Allez-y, messieurs les juges. Je suis un sauvage, un barbare, je ne comprends rien à la liberté, votre liberté. Soyez sans pitié avec moi, s'il vous plaît.

Fatima était présente tout au long du procès. Et, paraît-il, elle est venue chaque fois habillée de la même manière. Voilée. Voilée comme une bonne et pieuse musulmane turque.

On n'a jamais su si c'était le deuil qu'elle portait ainsi ou bien si c'était un véritable retour à Allah et ses lois.

Moi, je pense qu'elle était perdue. Complètement exposée, nue, face aux regards impitoyables du monde entier. De tous les côtés, regardée, scrutée, blâmée, jugée. Il lui fallait se protéger comme elle pouvait. Les stars de cinéma mettent des lunettes de soleil, Fatima a porté le voile.

Après le procès, elle est retournée chez elle, à Istanbul. Pour toujours chez elle.

Sinan, lui, est là, à Bruxelles, dans la même ville où sont enterrés ses enfants.

Je crois, Mounir, qu'il veut me confier une mission. L'aider à transférer les corps d'Irem, de Murat et de Nour en Turquie. Qu'ils reposent dans leur pays. Pas loin de Fatima. C'est ce qu'il va me demander, je le sens. Je l'ai vu à trois reprises dans la nuit, dans mes rêves.

Voilà, Mounir. Tu connais tout maintenant.

J'ai peur d'aller voir seule Sinan. Tu dois venir avec moi, Mounir. Venir me sauver de ta tante et de sa folie.

Venir me guider dans ce chemin noir noir que propose Baba Sinan.

Je n'ai que 19 ans.

Avec Irem, j'ai appris la vérité sur moi et j'ai perdu celle-ci pour toujours. Ta tante est loin de moi. Elle propose ce qu'elle croit être la solution solide, sûre : le mariage.

Je ne peux pas lui dire qui je suis. Qui j'aime. À qui je pense. Le deuil que je porte moi aussi.

Ta tante en mourra. Elle en mourra. Toi. Toi. Mounir. Toi. Il n'y a que toi et ce que j'ai vu en toi dès la première fois. Mes frères ne dansaient jamais avec moi. Ils ne viennent plus nous voir. Toi, tout de suite, dès que tu m'as vue, tu m'as prise dans tes bras, tu m'as posé des questions futiles et essentielles. Et tu as dit : Viens, Majdouline, viens, on va danser.

Il n'y a que cela de vrai, danser jusqu'à l'évanouissement.

Excuse-moi, Mounir. Je me répète. Je délire peut-être moi aussi. Depuis que Sinan a pris Irem et les autres, il n'y a rien pour moi. Oublier ? Je n'y arriverai jamais. Jamais.

Hier, à la boulangerie, j'ai entendu une chanson de Rihanna. *Rude Boy*. Mon cœur a frissonné. J'ai failli perdre connaissance. Devant tout le monde, je me suis assise par terre et je me suis mise à pleurer. Irem aimait elle aussi cette chanson. J'ai dansé avec Irem sur cette chanson. J'ai goûté à Irem et à sa peau en écoutant cette chanson.

Je n'ai que 19 ans, Mounir. Qu'est-ce qui m'attend à présent ?

La confiance en ce monde maintenant, c'est toi. La vérité proclamée devant ce monde en train de mourir, c'est toi. Je cherche un peu d'espoir. Une main. Une main. Viens, s'il te plaît, me prendre dans tes bras. Viens à Bruxelles. Viens. Et c'est moi qui t'écouterai. Viens et parle. De toi. De nous. Parle à ta tante. Et s'il faut s'évanouir de nouveau, connaître le vertige de la fin de nouveau, au moins tu seras avec moi. Je ne partirai pas seule. Viens. Mounir. Viens. Viens vite. Demain. Demain matin, mon cousin Mounir.

8

Fin (1)

Tu veux vivre ?

Tu veux encore vivre, Mounir ? Sortir de ce tunnel noir et avoir une chance vraie de connaître la vérité vraie sur toi et sur le monde au-delà de toi ? Être là après moi, venir te recueillir sur ma tombe de vieille femme, poursuivre pour moi la vie, la vie lente ?

Ne reviens pas au silence. Ne retombe plus chaque matin, quand tu te réveilles, dans le silence. Tu le connais maintenant, le silence, suffisamment bien, et tu sais qu'à l'intérieur de ce silence il n'y a que le silence.

Tu as crié comme un fou. Tu m'as dérangée. Tu as dit que c'était à cause du bruit. Trop de bruit.

Je t'ai entendu et j'ai fait ce que j'ai pu.

À plus de 80 ans il ne reste plus grand-chose. Ne pas bouger c'est mourir vite, là, ici, aujourd'hui même.

La force est partie, je le sens depuis plusieurs années déjà. Le goût pour les choses est pourtant toujours là en moi. Dans ma bouche. Dans mes sens. Dans mes nerfs. Et dans mon sang. Il y coule fort, très fort.

À plus de 80 ans, je n'ai plus l'espoir. Juste le souvenir de l'énergie. C'est avec ce souvenir que je vis et que je t'ai connu, Mounir.

Mes pas au-dessus de ta tête ne sont pas mes pas. Ce que tu entends de moi et qui te rends dingue, c'est la trace de ce que j'ai été. Quelque chose qui bout en moi malgré moi. Je ne fais que suivre cette chose, ce noir, cette femme inconnue en moi. Je ne décide plus de rien.

Il faut bien se lever à un moment donné. Laver ses dents et son visage. Aller aux toilettes sur le palier. Uriner. Chier. Revenir dans le petit studio. Se regarder durant dix secondes dans le miroir : c'est moi, Simone, mais ce n'est pas moi. Se détourner du reflet étrange et aller préparer du café. Boire du café sans lait et manger des tartines de pain beurrées. Ranger un peu le monde. Le studio étroit. Ranger la journée comme on peut. Faire revenir devant ses yeux les images lointaines de la jeunesse : par elles, encouragée par elles, se décider enfin à y aller. S'activer. Marcher. Laver. Nettoyer. Ouvrir la fenêtre. Chercher le ciel derrière le gris permanent des nuages. En vain. Tout est vain. Le matin très tôt, dans le silence juste avant la petite lumière du jour, tout paraît déjà vain.

Je me pose la question… Tu veux vivre ? Tu veux vivre encore, Simone ?

Je te repose la question, Mounir. Tu veux vivre ? Tu veux vivre encore, Mounir ?

Tu as parlé pendant très longtemps d'Antoine. Il était là. Il n'est plus là. Il va venir ce soir. Il ne vient plus.

Je n'ai jamais vu Antoine le policier, Mounir. Je n'ai jamais constaté, entendu, sa présence quand il est venu dans ton appartement. Toi, oui, je t'entendais. Tout le temps. N'importe quel bruit que tu faisais, je l'entendais, n'importe quel mouvement. Ton désespoir. Ta fureur. Tes insomnies. Tout ce qui t'obsède et que tu ne veux pas accepter.

Il existe, Antoine ? Il existe, Antoine le policier ? Tu l'as vraiment rencontré et tu as réellement vécu une histoire d'amour avec lui ?

Où ? Ici, rue de Turenne, dans ton appartement ?

Où ? Chez lui ? Dans les rues de Paris et de sa banlieue ?

Tu as une photo de lui à me montrer ? Non ?

C'est lui qui t'a interrogé au commissariat ? Tu en es sûr ? Pas quelqu'un d'autre qui lui ressemble ? Il y a beaucoup d'Antoine en France, tu sais. Tu le sais.

Il y a des choses qui ne se passent que dans la tête, Mounir. Et ça a le goût du vrai. C'est du vrai. Je ne le sais que trop bien. Mieux que toi, Mounir. C'est cela qui m'a permis de tenir jusque-là, jusqu'à plus de 80 ans.

Il y a des histoires qui n'existent pas et qui, justement, parce qu'elles n'existent pas du tout existent fort en nous. La vie n'est que cela. Le vrai ne se voit pas.

Tu me ressembles, Mounir. Je l'ai vu tout de suite. La première fois qu'on s'est croisés dans l'escalier. Des yeux francs, malins, joueurs. Ton âme aspire à tout maîtriser. Et si, pour cela, il faut mentir, se mentir, faire de la fiction, se glisser dans la peau d'un nouveau personnage, gentil ou méchant, docile ou dangereux, tu n'hésites jamais longtemps. Tu y vas. Tu diriges. Tu séduis. Tu fais la danse. Tu aimes. Tu domines, à ta façon. Tu inventes ce qu'il faut inventer et tu y crois, jusqu'au bout. Jusqu'à l'effondrement.

Tu as dit : Je peux t'aider, madame, à porter le panier jusqu'à ton étage ?

Tu préparais le terrain pour je ne sais quelle future mission.

Mais tout s'est détraqué. Vite. Très vite même. Tu as perdu le contrôle.

Tu ne veux pas entendre, Mounir. Non. Tu ne veux pas.

Pourquoi as-tu déménagé alors ? Pourquoi es-tu venu dans ce 3e arrondissement ?

La réponse à ces questions est tellement facile, mais je n'avais pas le droit de la révéler. Il fallait que tu y parviennes par toi-même.

Ta vérité. Ton histoire. Ce qui se termine et qui ne reviendra plus.

Tu le sais maintenant. Tu l'as vu, le secret. Tu fais face à ce que tu ne veux pas entendre.

Pas mon bruit de vieille dame au-dessus de ta tête. Non. Non. Pas les bruits de cet immeuble. Pas les bruits de ce monde.

Pourquoi, alors qu'on vient à peine de vivre une grande tragédie, faut-il en inventer une autre tout de suite ? Pourquoi ?

La deuxième aide à supporter la première ? Non ?

Je dis vrai, tu le sais, Mounir. Tu comprends ? Tu vois ? Sans t'en rendre compte, tu m'as tout dit. Tu m'as donné tous les éléments et toutes les clés de ta vie juste avant ton arrivée rue de Turenne. Mais tu n'as pas su, ou pas pu, faire le lien par toi-même. Tu t'es concentré sur les bruits, mes bruits, les bruits des voisins, les bruits de l'immeuble, les bruits de la France en ce moment.

Ce n'est pas ma faute, Mounir.

Mais je comprends ce qui s'est passé dans ta tête. Ce qui est remonté et qui a fini par tout dominer. Une perte. Puis une autre perte. Un déplacement. Puis un autre déplacement. La solitude du départ devient la solitude de toujours.

L'isolement est éternel.

Ta mère est morte en été. Au mois d'août. Tu es arrivé ici, rue de Turenne, cinq mois plus tard. En janvier.

Tu n'aurais jamais dû faire cette chose. Il ne faut jamais déménager juste après le décès d'un proche. Et encore moins quand on vient de perdre sa mère alors qu'on vit seul, comme immigré, en France.

On ne devrait jamais, jamais, déménager en plein deuil.

Mounir. Tu comprends maintenant ? Tu vois que c'est la mort de ta mère qui est au cœur de tout cela. La mère. Les drames. Les scandales. Les bruits. Moi. La police. Antoine. Toutes ces impossibilités. L'abîme. L'abîme profond.

Tu as quitté un 20 mètres carrés à Belleville pour un 45 mètres carrés chic rue de Turenne que tu n'as jamais voulu meubler. Tu l'as laissé vide. Un décor de théâtre vide, hanté et qui fait peur.

Là-haut, ta mère ne doit pas être contente de constater qu'elle a laissé derrière elle un fils à ce point-là malheureux. Qui tourne dans le vide. Qui tombe chaque jour un peu plus, qui s'enfonce chaque jour un peu plus dans ses propres fictions et dans la folie.

Ta mère est en train de pleurer, Mounir.

Tu m'entends ?

Elle est partie, ta mère. Tu as commis une faute en venant ici rue de Turenne. Mais même cela, cette épreuve, cet échec, cette impasse, tu dois en faire autre chose. Pour elle et pour toi. Sortir de la distance que tu installes entre les choses de la vie et toi. Sortir des bruits. Sortir de la solitude comme tu peux. Comme tu peux. Et en t'accrochant au corps de ta mère. Fais-le. Fais-le. Il n'y a pas de mal. Il n'y a pas de honte. Rester un enfant, certains jours. Jusqu'au bout dans ton cœur, il n'y aura que cela de vrai : ta mère absente et plus que jamais présente. Ta mère qui veille sur toi et qui, désormais, ne te jugera plus avec les yeux des autres, avec les yeux durs et impitoyables de la société.

Ta mère est au-delà de tout cela maintenant.

Ta mère est en train de prier pour toi maintenant.

Tu veux vivre ?

Tu veux vivre encore, Mounir ?

Quand tu reviendras d'Istanbul, je ne serai plus là.

C'est la fin, Mounir. Je te l'annonce. Sérieusement.

Je serai en train de dormir au cimetière de Montmartre.

Tu viendras me voir ? Tu me pardonneras ?

Tu avais raison, les cimetières ce n'est pas ce qui manque à Paris. J'en ai visité cinq. Et j'ai pris ce qu'il y avait de moins cher.

Le cimetière de Montmartre, n'oublie pas.

L'autre côté du silence. Enfin.

Je n'ai pas peur.

Tout semble à portée de main. La beauté. Le lien sincère. Et puis, non, ce n'était pas vrai. Tout cela. La vie. Ça n'a jamais existé.

Mon cœur, je ne l'entends plus. Il est où ?

La tension dans mes veines ne cesse d'augmenter. Mais je n'ai ni fièvre ni vertige.

La fin sera une grande explosion.

Donne-moi ta main. Prends la mienne.

Que vas-tu faire à Istanbul ? Tu parles turc ? Tu aimes les hommes turcs ? Tu iras les chercher dans les hammams là-bas pour les toucher sans parler ?

C'est cela, ton projet ? Ou bien tu veux te rapprocher de quelque chose de musulman en toi que tu ne peux plus trouver ni au Maroc ni ici en France ?

C'est vrai qu'on ne peut absolument pas s'éloigner trop longtemps de notre première origine. Le sens du monde. Sans rien comprendre, c'est là qu'on veut finir, exploser glorieusement.

Je suis comme toi, Mounir. Je ne sais pas tout. Ce n'est pas grave. L'essentiel est là, devant moi, toi dans le silence et l'abattement après avoir été dans les bruits impossibles.

Et mes livres, ceux que j'ai lus pour le dernier voyage et que je t'ai donnés, tu en emportes quelques-uns avec toi à Istanbul ? Lesquels ? *La Vie devant soi* ? *Les Égarements du cœur et de l'esprit* ? *Le Collier de la colombe* ?

Et les autres, tu les as mis avec tes affaires dans le garde-meuble de la place Gambetta ? Tu as tout mis là-dedans ? Tout ce que tu possèdes en France ? Il n'y a plus rien dans l'appartement ? C'est vide à présent, vide vide ?

Où vivras-tu à ton retour d'Istanbul ? Tu vas errer de nouveau ? C'est ce que tu veux, c'est ce que tu aimes, errer ?

Tu ne reviendras pas ? Tu ne reviendras pas.

Et moi, tu m'oublieras ? Complètement ?

Et moi dans ma tombe au cimetière de Montmartre, qui viendra me regarder et me toucher ? Il n'y a que toi maintenant, Mounir. Que toi pour moi.

Je ne peux pas te retenir. Je ne peux pas, je ne peux plus te rejoindre dans la fiction que tu construis autour d'Antoine le policier. Je n'en ai plus la force. C'est trop tard.

Je ne peux pas te dire où tu dois aller, où tu dois aimer, où l'Arabe que tu es pourra enfin trouver la justice et la dignité et la réparation qu'il cherche.

Je ne peux pas.

Je vois et je ne veux pas t'effrayer encore plus.

Rien ne sera calme.

Le Grand Voile est en train de disparaître pour moi. Devant mes yeux. De plus en plus. C'est clair. C'est vrai. Et c'est tellement évident. Ils n'ont pas menti.

Là-bas, là-bas, derrière cet écran, elle m'attend. Debout. Les bras ouverts. Ma sœur. Ma sœur. Ma sœur. Manon. Elle n'a pas du tout changé.

Va. Va à Istanbul, Mounir. Deviens ce que tu es déjà.

Rien ne sera calme.

Et si la main que tu espères est là, durant ce voyage, cette nouvelle fuite, ne te trompe pas, n'hésite pas. Oublie tes convictions trop arrêtées, oublie les bruits et offre-toi à elle et à sa tendresse. Une main comme celle d'Antoine dans ta tête ou bien comme celle d'un miracle écrit, prévu, qui arrive enfin avec tant de retard.

L'innocence n'a jamais existé. La liberté n'a jamais existé. Tout est guerre. L'avenir aussi, d'avance, est en pleine guerre. Tu le sais, Mounir. Cela fait vingt ans que tu vis en France.

Tout est chute. Tout est esquive. L'espoir est mort. Tu as tout juste 40 ans. Tu vivras après moi. Et tu viendras fleurir ma tombe. Mon fils ne le fera pas. Il aura raison de se venger. Toi, l'Arabe, tu le feras à sa place. Tu apporteras des fleurs. Et un peu de chocolat.

C'est un ordre. C'est une prière. C'est une histoire entre nous deux.

Va à Istanbul. Vis ce que tu as à vivre. Dans le doute. Dans l'extase. Dans la radicalité et l'extrémisme peut-être. Dans la résistance au monde d'ici sûrement.

Et reviens.

Tu es devenu comme nous. À ta façon, et avec la folie en toi, tu es comme nous. Tu parles mieux que moi la langue française. Tu connais mieux que moi la culture officielle de ce pays.

Tu seras dans quelque temps professeur de français dans un lycée de Drancy. Tu as signé le contrat, tu m'as dit. Tu es engagé, ça y est. Tu prendras le RER B tous les jours et tu t'arrêteras à la station Drancy.

Drancy : le miracle final aura lieu.

Je suis déjà de l'autre côté et je le vois. Je te vois. En classe devant les élèves. Tu parles. Tu expliques. Tu joues. Tu écris sur le tableau. Tu es intense et sérieux. Tu es ému et tu le caches. Tu es concentré. Très concentré.

Tu as enfin l'occasion de sortir complètement de toi-même et des illusions de notre monde qui t'a fait rêver, qui t'a déçu, qui t'a rejeté et continue de rejeter les gens comme toi.

Tu es au milieu. Les élèves te regardent. Ils ont fini par t'accepter, par admettre que, malgré ton apparence juvénile, tu n'es pas un gamin arabe. Tu es un professeur.

FIN (1)

Ils t'aiment. Vraiment.

Tu es le guide. Le maître. Le petit maître. Tu es l'amour. Donne tout, Mounir. On ne prend rien avec nous dans la vie lente. Donne tout. Donne ce que tu es même s'ils n'en veulent pas au début. Tout. Tout.

Là-bas, je suis avec ma sœur. Manon. Je lui ai raconté ton histoire, notre lien.

Nous te regardons.

Nous t'attendons toutes les deux.

Mais ne viens pas nous rejoindre tout de suite.

Tu veux vivre ?

Tu dois vivre encore, Mounir.

9

Fin (2)

Je ne suis pas Antoine.

Vous m'entendez ? Vous êtes là, avec moi, au commissariat ? Vous comprenez ce que je vous dis ?

Je ne suis pas cet Antoine dont vous parlez. Je ne suis pas lui. Je ne suis pas Antoine. Levez la tête et regardez-moi. C'est la dernière fois que je vous le répète. Après cet avertissement, il y aura peut-être une sanction si vous continuez à raconter n'importe quoi.

Je suis un inspecteur de police. Je dois faire mon métier. Alors aidez-moi à vous aider.

Après votre voyage à Bruxelles et les visites que vous avez rendues à Sinan Boz en prison, votre dossier est devenu lourd. Les soupçons qu'on avait sur vous sont devenus des évidences. On a des preuves. On doit faire quelque chose. Je vous conseille donc de coopérer avec moi, avec nous, et de tout dire sur ces voyages à Bruxelles. C'est compris ? Et comme, en plus, vous n'êtes pas complètement en règle pour ce qui concerne les papiers et les impôts… c'est dans votre intérêt de ne pas en rajouter dans le délire.

Je ne suis pas Antoine. Ne dites plus ça. Surtout ne le dites plus devant mes collègues quand ils me rejoindront dans une heure pour le dernier interrogatoire et la décision finale.

C'est clair ?

Vous avez beaucoup d'imagination, on dirait. Et vous êtes obsédé par des choses qui n'existent pas. Vous voulez devenir écrivain, c'est ça ? Vous aurez peut-être bientôt tout le temps libre, le temps large, de penser à tout cela. Enfermé, vous écrirez. Ou pas.

Je ne suis pas Antoine. Ni le double d'Antoine. Je n'ai jamais été gros et je n'ai jamais suivi de régime. Et en plus, je ne suis pas homosexuel.

Et vous ? Vous l'êtes vraiment, homosexuel ?

Il y a quelque chose qui cloche. A priori, quand je lis votre dossier et toutes les fiches rédigées sur vous par la police, c'est impossible que vous soyez homosexuel, en tout cas un homosexuel aussi revendiqué que celui que j'ai devant moi. Mais, après tout, tout est possible dans la vie. Et ce n'est pas ça le fond du problème.

Vous avez été amoureux de cet Antoine ? C'est cela ? Il était policier, ici à Paris ? C'est vrai, ce mensonge ? Il s'appelait comment ? Son nom de famille ?

Vous ne voulez pas le dire.

Je m'appelle Antoine Gramond. Inspecteur de police. Voici mon badge. Regardez-le bien. Et maintenant, sortez de votre tête, de votre imagination, revenez à la réalité, à aujourd'hui, à ce commissariat.

On est lundi 15 janvier 2018. Il est 11 h 30 du matin. Et je peux vous annoncer sérieusement que cette fois-ci votre cas… est devenu plus… plus… comment le dire ? Il est devenu plus… dangereux… Il y a eu trop de signalements à votre sujet durant les six derniers mois. Les doutes qu'on avait début 2017, quand on vous a convoqué à trois reprises, sont en train de se dissiper.

Bon. On commence. Vous êtes là ? Vous voulez boire de l'eau ?... Non. Très bien.

Durant au moins huit mois en 2013 vous avez fréquenté d'une manière très régulière la mosquée Omar de la rue Jean-Pierre-Timbaud. Vous y alliez pour accomplir la troisième prière, Al-Asr, et vous ne repartiez que cinq heures plus tard, après avoir accompli la quatrième et la cinquième prière. Vous assistiez aux sermons donnés entre les prières par un certain Younès Marouani, d'origine algérienne et connu également sous le nom d'imam Jaâfari. Cet imam était plus jeune que vous, à peine 30 ans à l'époque. Il a quitté la France en 2014. Il est allé d'abord en Turquie et ensuite en Syrie, où il a rejoint un mouvement islamiste djihadiste. Il a fait la guerre là-bas. Et il a été tué début 2015.

D'après nos sources, vous avez cessé d'aller à la mosquée Omar au milieu de l'année 2014 et, presque au même moment, vous avez déménagé. Vous avez quitté la rue de Belleville pour vous installer dans un deux-pièces rue de Turenne.

En 2016, on a beaucoup entendu parler de vous ici, à la police, à cause de vos problèmes de voisinage. Une certaine Simone Marty, 80 ans cette année-là, a appelé la police pour nous alerter du danger que vous représentiez pour elle et pour les habitants de l'immeuble. Elle a déclaré : C'est un Arabe gentil mais fou. Il perd la tête de plus en plus et franchement, parfois, j'ai peur. Il est gentil mais j'ai peur. Et quand j'écoute les informations, j'ai l'impression que lui aussi il prépare quelque chose de pas net.

Quelque temps plus tard, madame Marty a rappelé pour dire que vous l'aviez menacée à plusieurs reprises à cause du bruit qu'elle faisait et qui vous empêchait de dormir la nuit. Vous lui auriez dit : Mais vas-y, meurs. Meurs. Les cimetières ce n'est pas ce qui manque à Paris, madame Marty. Tu veux que j'en choisisse un pour toi ?

Suite à cette plainte, la police s'est déplacée chez vous et vous a interrogé.

Dans les mois qui ont suivi, on a également reçu plusieurs informations sur vous. Des gens qui appelaient spontanément pour nous signaler ce qui se passait au 107, rue de Turenne, mais qui ne portaient pas plainte. L'une de ces personnes a pris une photo de la menace claire que vous auriez écrite sur un tableau placé à l'entrée de l'immeuble. Voici la photo. On peut y lire ceci : « Je partirai quand je vous aurai tous tués. Pas avant. En attendant, que l'enfer continue. » Compris ? Le message n'était pas signé mais les habitants savaient tous très bien qu'il était de vous.

La police vous a alors convoqué, début 2017. Un collègue à moi vous a longuement interrogé et vous a relâché en vous conseillant d'aller consulter à l'hôpital psychiatrique Sainte-Anne pour soigner ce qu'il a nommé une dépression délirante.

Par ailleurs, cette même année, vous avez de nouveau fréquenté la mosquée Omar mais d'une manière pas vraiment régulière.

En juin 2017, vous vous êtes rendu spécialement à Bruxelles pour visiter à trois reprises, en l'espace d'une seule semaine, un certain Sinan Boz, incarcéré à la prison… pour un quadruple meurtre.

Sinan Boz s'est radicalisé depuis qu'il est entré en prison. Il serait connu à présent parmi ses codétenus sous le nom d'imam Buraq. Mais cette information n'est pas sûre d'après d'autres sources.

Au retour de Bruxelles, vous êtes resté à peine une semaine à Paris et vous êtes reparti, au Maroc cette fois-ci, votre pays d'origine.

En juillet 2017, vous avez mis toutes vos affaires (principalement des vêtements et des livres) dans le garde-meuble de la place Gambetta et vous avez quitté définitivement le deux-pièces de la rue de Turenne.

Quelques jours auparavant, on vous avait fait un virement de 50 000 euros sur votre compte bancaire au Crédit Lyonnais.

Vous avez alors retiré tout l'argent que vous aviez sur votre compte. Vous l'avez fermé. Et vous êtes parti en Turquie.

Voilà où on en est avec vous, monsieur Mounir Rochdi.

Depuis novembre 2017, vous êtes professeur de français remplaçant à Drancy. Le lycée Eugène-Delacroix, pas rancunier après votre défection au printemps dernier, vous a offert un deuxième contrat. Il paraît que la France manque cruellement de professeurs, surtout dans les banlieues.

Vous avez ouvert un nouveau compte dans une banque en ligne.

Vous habitez désormais dans un foyer pour immigrés maliens à Aulnay-sous-Bois.

Vous êtes suivi par le docteur François Denon à l'hôpital psychiatrique Sainte-Anne et vous retournez parfois à la mosquée Omar.

On est en janvier 2018.

Je ne suis pas Antoine.

Je suis un représentant de l'État français et, compte tenu de ce que nous avons sur vous, je suis dans l'obligation de vous placer en garde à vue. Vous serez mis en examen et vous passerez devant un juge.

Vous êtes soupçonné d'appartenir à un groupe islamiste djihadiste qui menace la sûreté de la France.

À partir de cet instant, vous avez le droit de garder le silence et de faire appel à un avocat pour vous défendre.

Je vous conseille de collaborer avec nous. Votre cas est très sérieux.

Vous vivez en France depuis vingt ans. Vous avez bénéficié d'un tas d'avantages français. La liberté. L'égalité. La fraternité. Au nom de tout cela, nous attendons de vous une entière collaboration.

Si vous nous aidez, nous vous aiderons.

Vous avez entendu ? Vous êtes toujours là, avec moi, dans ce commissariat ?

Vous avez tout compris ?

Vous avez des questions ?

Regardez-moi et répondez. Levez la tête. La tête. La tête. Ouvrez les yeux. À quoi pensez-vous ? Vous reconnaissez les faits qui vous sont reprochés ? Vous ne voulez pas répondre ? Vous préférez garder le silence ? C'est cela ? Le silence ?

À vous de voir où se trouve votre véritable intérêt.

Le silence, c'est de la lâcheté.

La solitude et la mort.

La fin. La fin. Votre fin, monsieur Mounir Rochdi.

Du même auteur

Mon Maroc
Séguier, 2000

Le Rouge du tarbouche
Séguier, 2004
et « Points » nº P2797

L'Armée du Salut
Seuil, 2006
et « Points » nº P1880

Maroc, 1900-1960
Un certain regard
(avec Frédéric Mitterrand)
Actes Sud / Malika Éditions, 2007

Une mélancolie arabe
Seuil, 2008
et « Points » nº P2521

Lettres à un jeune Marocain
Seuil, 2009

Le Jour du Roi
Seuil, 2010
et « Points » nº P2666

Infidèles
Seuil, 2012
et « Points » n^o P4020

Un pays pour mourir
Seuil, 2015
et « Points » n^o P4239

Celui qui est digne d'être aimé
Seuil, 2017
et « Points » n^o P4705

RÉALISATION : NORD COMPO À VILLENEUVE-D'ASCQ
IMPRESSION : CPI FRANCE
DÉPÔT LÉGAL : MARS 2019. N° 142183-2 (153129)
Imprimé en France